JN110698

はじめに

本書に収められた作品の多くは原語からの初めての訳です。ですから、日本ではほとんど知られていません。「世界文学」という語を見聞きすることが増え、西欧以外の文学の重要性が説かれるようになりましたが、それでもまだ、翻訳されていない文学作品は世界にあまた存在します。マイナーな国の文学を読んだり学んだりすることにはどのような意味があるのでしょうか。

私が訳したのはユーゴスラヴィアの文学です。この国は六つの共和国からなる連邦国家でしたが、一九九〇年代に独立をめぐって戦争がはじまります。このとき、私は高校生で、日々伝えられる凄惨な状況に衝撃をうけました。私の心は、ナイジェリアの作家チママンダ・ンゴズィ・アディーチェがTED講演で語った「シングルストーリーの危険」にさらされていたといえるでしょう。「シングルストーリー」とはある特定の事柄だけを強調し、固定観念を生む、一面的なストーリーのことです。戦争報道は、ユーゴスラヴィアが非文明的で、野蛮な国であるというシングルストーリーを作りだしました。ですが、ユーゴスラヴィアの文学作品を読んでみると、「文化のるつぼ」と呼ばれる地域ならではの緊張と摩擦のなかに、それぞれの文化を尊重しつつ社会を構成していく人びとの姿が浮かびあがります。困難のうちに生きる人びとのあいだにも文学はあります。むしろ、生きる支えとなることも少なくありません。書物は、ときに読者を現実から逃避させ、ときに苦しみを笑いに変え、ときに心の声を代弁します。文学とは人間が人間らしくあるための営為とその痕跡です。「死を生きのびるすべてのものは、虚無の永遠に対する、小さくも空しい一つの勝利である」(ダニロ・キシュ『砂時計』より)。

本書はどこから読んでいただいても構いません。なじみのない地域の作品は、作家・作品解説を手がかりとして、同じ作家あるいは同じ地域のほかの作品にも手を伸ばしていただけたらと思います。その一方で、読み進めていくうちに、時代も地域も異なる作品たちのあいだに、ふとしたつながりを感じとってもらえればしめたもの。もちろん、そのつながりは本書のなかだけにとどまりません。各作品に付されたキーワードは、はてしなく広がる文学の世界への小さな扉です。どんどん開いてみてください。

いわゆる『世界文学全集』に収められてきた作品を巨星とするなら、本書の作品たちは眇(びょう)たる星に見えるかもしれません。ですが、空気の澄んだ場所で晴れた夜空を見上げると、無数の星々がまばゆいばかりにきらめいて、光の大きさは気にならなくなるでしょう。これからの「世界文学」とは読者ひとりひとりが心の空に見出す星座です。誰もが知っているシングルストーリーではなく、自分だけの星座を探してみてください。思いがけないストーリーがあなたを待っているかもしれません。

奥彩子

世界の文学、文学の世界

ヴァンダ

ヴァスコ・プラトリーニ
［訳］小久保真理江

ヴァンダの瞳は黒くて、少しだけ金色が入っていた。髪は金髪だった。僕は彼女に好きだとなかなか言いだせなくて、そもそも名前がヴァンダだということすら知らなかった。ある日の朝、彼女が橋の途中で立ち止まった。僕が勇気を出して二歩ほど前に進むと、彼女は「気が変になりそう」と言った。「もう一ヶ月も影みたいにわたしの後を歩いていますよね。何か言いたいことがあるなら今ここで言って、終わりにしてください」僕は「え？　分からないんですか？」と言った。そのとき一人の女性が僕たちのそばを通りすぎた。幼い女の子と手をつないでいて、歩きながら女の子に授業の復習をさせていた。女の子はまだ眠気から抜け出せない様子でまどろみながら、動詞の活用をところどころ抜かしてしどろもどろに唱えていた。僕たちは二人して笑ってしまった。それで最初の気まずさがほぐれた。ヴァンダは橋の欄干(らんかん)に片手をのせて寄りかかった。僕も同じようにした。僕は川を見た。川は緑色で水位が高く、銀細工の職人や商人たちが働く店の大きな窓に軽く触れていた。僕は川のほうを指さして、「あそこにボートに乗っている人がいますよ」と言った。それがそのとき言うべきもっとも重要なことでもあるかのように思えたのだ。「暇なんですね。うらやましい」と彼女はこたえた。橋の両端には四季の彫像が背を向け合って立っていた。僕たちは十八歳だった。僕は新聞社で見習いをしていた。彼女は服屋の店員で、稼ぎは一日七リラだった。父親と祖母と暮らしていた。父親は司法職員で、手形の不渡りを宣告するのが仕事だった。一年の間、毎朝、僕らは橋の上で待ち合わせて会った。彼女が住んでいたのは川の向こう側で、春と夏の彫像が立っている側だった。僕らは毎朝カフェでエスプレッソを飲んだ。カフェには焼きたてのクロワッサンもあって、僕らはいつもそれを一つだけ注文して二人で半分ずつ分け合った。彼女はクロワッサンをコーヒーに浸して、小さな口で少しずつ食べた。いつもクロワッサンに浸みたコーヒーを味わってからクロワッサンを噛んでいた。大口を開けてクロワッサンの半分を一気に食べてしまう僕を彼女は叱った。僕は毎朝、店まで彼女を送った。いつもなごり惜しくて店の前でしばらく立っていると、ショーウィンドウを整えるのを口実に、もう一度彼女が挨拶しにきてくれた。昼と夕方にもまた橋の上を一緒に歩いた。僕らの目の前を流れる川は季節によって姿を変えた。水位の高い一月には黄色く濁っていた。溢れ出た川の水に押し流された木の幹や豚の死体が近くの村から運ばれてくることもあった。そんなとき銀細工店の人びとは大きな窓から身を乗り出して、量水標（りょうすいひょう）の目盛りを確認していた。真夏には川の砂利がところどころに姿をあらわしていた。近くの堰（せき）はからからに乾いていて、子供たちが一日中、裸で遊んでいた。橋の下だけは水がかすかに動いていて、底が見えるほどに透きとおっていた。でも春には川は緑色だった。夕方、なごり惜しくてなかなか帰れずにいるとき、ヴァンダはいつも歌っていた。橋の欄干の上に肘をのせ両手で頬杖（ほおづえ）をついて、歌いながら川を見つめていた。僕は「好きだよ」と言って彼女に優しく触れた。でも彼女は僕の言葉を聞いてくれなかった。僕は冗談で「僕よりも川のほうが好きなんだね」と言ったりした。それから夏が来ると、たくさんの人たちが橋の欄干の上に座るようになった。マンドリンを弾きながら橋を行き来する人たちもいた。橋のすぐ向こうにはスイカの屋台が出ていた。

一九三八年だった。スペインの左派はすでにブルネテ[1]を失っていた。夫が妻を殺す事件があった。政府は人種法[2]を採決していた。けれど、そういった事件はみな僕らの遠くを通り過ぎてゆく出来事でしかなく、新聞の見出しでしかなかった。僕らにとって重要だったのは、橋の上で一緒に過ごす時間や、並木道での散歩や、いっこうに僕に会おうとしない彼女の父親の問題だった。

「そのうち説得するから」とヴァンダはよく言っていた。「別に反対しているわけじゃないの。わたしたちがまだ未成年だから渋っているだけ」ヴァンダは日に日に大人の女性になっていった。彼女の背が伸びて、僕らは少しずつキスすることを覚えた。新しい特別な経験だった。ヴァンダはときおり何かに怯えているような様子を見せることがあった。不安げに何かをたずねることがあり、どうでもよいような些細なことをたずねるときですら不安そうだった。終わりのない悪夢のなかに生きていて、くりかえし蘇る悪夢に苦しめられているかのようだった。橋の上で初めて言葉を交わしたあのときのように、「気が変になりそう」とよく言っていた。「どうしてこんな遅くに街灯がつくの？　どうして今日髪の毛を切ったの？　どうして満月が何日も続いているの？」などとヴァンダはたずねた。僕はヴァンダと結婚したらどんな家に住みたいとか、ヘッドホンと検波器のついた格好いいラジオを手に入れて操作を楽しみたいとか、そんなことを夢みていた。六月に僕は深紅色のスカーフを彼女にあげた。夕方、涼しくなると彼女はそれを白いワンピースに合わせて首に巻いていた。「恋なんかしたくなかった。最初の日にあんなふうに突き放したのは、そうすれば離れてくれると思ったからなのよ」ヴァンダはよくそう言っていた。僕はばかみたいに「知っているよ」と言って笑った。僕はたずねた。「それで例の秘密についてはいつ話してくれるの？　君のことが好きなんだから、秘密を知っても動揺なんかしないよ。そう思わない？」彼女は「まだだめ」と言って、僕の顔を真剣な眼差しで見つめていた。僕はそんな彼女にキスすることしかできなかった。

その後ヴァンダはどんどん青白くなり、以前よりもっと不安そうな落ちつきのない様子を見せるようになった。「家事が大変で疲れているみたいだね」僕はよくそう言った。そんなとき彼女は僕に優しく触れながら「わたしのことそんなに好きなの？」とたずねた。ある晩、彼女は言った。「わたしのことそんなに好きなら、どうしてもっと深いところまでわたしのことを見ようとしないの？　わたしはあなたに秘密を打ち明けられるときを待っているのよ」「君のことならなんでも知っている。僕にとって君はいつも吸っている空気みたいなんだから。何度も読んだ本みたいによく知っているよ」そう僕はこたえた。「ばかね」と彼女は言った。その声の調子には愛情と落胆が混ざっていた。僕はそれをあとから思い出すことになった。僕らは橋の欄干に二人で寄りかかっていた。風が吹いていて、公園は霧で覆われていた。二列の街灯も霧に覆われて見えなくなっていた。川は橋のアーチの下から飛び出してはうごめく黒い塊になっていた。橋の脚に襲いかかっては砕け散る水の音がずっと聞こえていた。ヴァンダは言った。「気が変になりそう。あなたはいつも知ってる、知ってる、というけれど、本当は何も知らないのよ。どうしてわたしの髪は金髪なの？　金髪であるべきじゃないのに。なぜだか分かる？」「理由なんか別にないだろ」と僕は言った。「金髪であるべきじゃないのよ。気が変になりそう。わたしはあなたのことが好き。どうしてわたしもあなたのことが好きなの？　あなたには分かるんでしょ。言ってみて。どうしてなの？　わたしには分からない。分かるのはあなたが好きということだけで、どうしてなのかは分からない」彼女は奇妙なくらい落ち着いていた。混乱しているのは言葉の意味だけで、彼女の声は混乱していなかった。その声はむしろ優しさに満ちていた。でもそれは間違ったことをされて苦しんでいる人がその間違いを許そうとしている優しさだった。「あなたはもちろんなんでも知っているのよね」とまた言った。「川が海につながっていることも知っている。でもわたしが海を見たことないのは知らない。わたしは二十歳にもなるのに、海を見たことがないし、電車にも乗ったことがないのよ。知っている？」「ばかだな」と僕は言った。「そんなことが例の秘密だったの？」彼女は頭を両手で抱えた。欄干に両肘をのせていた。「そんなことが秘密だと思うの？　気が変になりそう」僕は彼女の肩に腕をかけて、手で彼女の顔をこちらに向けた。そのとき彼女が泣いていることに気がついた。僕は涙を拭った指で彼女の唇を濡らした。そして「海はこんなふうにしょっぱいんだよ」と言った。それから頬にキスした。「日曜日、一緒に海に行こう。電車で行こう。夕方には帰ってこられるよ。お父さんには何か言い訳を考えればいい」「その必要はないの」彼女は目の前の川を見つめながらゆっくりこたえた。「父は家を出ていて、しばらくは帰ってこないから」「親戚のところにでも行ったの？」「ええ」と彼女は言った。

家まで送ろうと橋を過ぎたところで、ヴァンダは振り返って橋の影像を見つめた。「春の像はこんな季節にここでいったい何をしているんだろう。知っている?」愛おしそうに僕の胸を拳で軽く叩いてから唇を差し出した。でもその目はまた涙で潤んでいた。僕はスカーフでその涙を拭った。

その夜は、母が部屋に入ってきて僕を起こした。「窓をちゃんと閉めたか見にきたの」と母は言った。「外はすごい嵐よ」雨がざあざあと激しく降っていた。風に吹きつけられた雨が窓ガラスを強く叩いていた。部屋を出て行くときに母が言った。「明日は川が増水するね」朝になると橋の上には日が差していた。そして道や家の壁のまわりには嵐のあとに特有の新しさを感じさせる空気があった。鉄の鎧戸(よろいど)に覆われた銀細工店の大きな窓の高さまで川の水は届いていた。僕はヴァンダを待ったが、彼女はいっこうに来なかった。市場を歩きまわってみたが会えなかった。前の晩の寒さのせいで熱を出したのではないかと思い、彼女の家に行ってみることにした。ドアをノックすると、もう若くはない細身で鼻眼鏡をかけた女性が出てきた。色あせた水色のガウンを着ていて、食品の容器を布巾(ふきん)で拭いていた。「ヴァンダは家にいませんよ」と迷惑そうな様子でつっけんどんに言った。「朝早くに出かけたんだと思います。看護士が二度も呼びにきたのに、姿を見せなかったんですから」「なぜ看護士が来たんですか」と僕はたずねた。「お父さんが激しい発作を起こしたのでね。今回は……」困惑した僕は、扉の前に立ったまま「ヴァンダのお父さんは病気なんですか?」とたずねるのがやっとだった。女性は手に持っていた容器と布巾を近くのテーブルに置き、ガウンを整え直して言った。「あなた警察の方じゃないわよね？」「違います。友人です」と僕は言った。「ごめんなさいね。警察の人たちが毎日のように来るものだから。ヴァンダのお父さんは三ヶ月前から気がおかしくなってしまったんです。ユダヤ人という理由で仕事をくびになってから。絶望して気がおかしくなってしまったんですよ」「ヴァンダは？」僕はたずねた。「どこに行ったのか見当もつかないわ」女性はこたえた。「どこかお金を貸してくれるところを探しに行ったのかもしれません。わたしたちもできる範囲では助けてあげているんですよ。彼女も仕事を失くしてしまいましたからね。でもわたしたちもたくさんお金があるわけではないから」

その二日後、遠く離れた河口の近くに川がヴァンダの身体（からだ）を返した。

（1）スペイン内戦の激戦地
（2）ユダヤ人を迫害する法令

Vasco Pratolini

ヴァスコ・プラトリーニ（一九一三〜一九九一）

プラトリーニの短編小説「ヴァンダ」の舞台は一九三八年頃のフィレンツェです。イタリアは一九二二年から一九四三年までファシズム政権下にありました。一九三八年はイタリアでファシズム政権によって人種法が公布・施行された年であり、この物語にも人種法が大きく関係しています。

人種法とは、主に国内のユダヤ人を迫害するためにファシズム政権が施行した一連の法令のことを指します。ファシズム政権は「ユダヤ人」という言葉を人種的概念として用い、一九三八年の九月からユダヤ人を迫害する数多くの法令を次つぎと公布・施行しはじめました。代表的な例としては、学校からのユダヤ人の教員と生徒の排除、公職からのユダヤ人の排除、特定の職業活動の禁止や制限、土地や建物の所有の制限、「アーリア人種に属するイタリア人」との結婚の禁止などが挙げられます。

物語の主人公―語り手は、一九三八年頃の恋愛を回想しながら、当時、人種法が可決されていたことに言及し、「僕らの遠くを通り過ぎてゆく出来事でしかなく、新聞の見出しでしかなかった」と述べています。もちろん、実際には自らの恋愛にも関係する重大な出来事だったのですが、恋人のヴァンダがユダヤ人であることを知らなかった当時の主人公は、その出来事にさほどの関心を抱かなかったのです。人種法に対するこのような無関心は、実際の当時のイタリア社会でも非ユダヤ系イタリア人の態度としては珍しいものではありませんでした。

プラトリーニは、フィレンツェ出身の作家です。一九三九年以降は主にローマやナポリで暮らしましたが、作品のほとんどは自らが生まれ育ったフィレンツェを舞台としています。プラトリーニが直接的に描くのはフィレンツェに暮らすさまざまな人びとの個人的な物語ですが、それらはイタリアの歴史を映し出しています。

ヴァスコ・プラトリーニ

プラトリーニの作品は二〇世紀前半のイタリアの歴史や社会状況と密接に結びついているものが多く、異なる時代や地域に生きる人びとには一見あまり関係のない話のように思われるかもしれません。しかし、「ヴァンダ」の物語から浮かびあがる人種主義、排外主義、ファシズム、マイノリティへの差別や無関心などの問題は、現代のさまざまな地域に生きる人びとにとっても切実な問題なのではないでしょうか。恋人の苦しみを理解できなかった主人公は鈍感で愚かですが、この回想の物語は、「いま起きている社会の出来事の意味を自分は本当に理解できているのだろうか」「身近な人びとのことを自分は本当に理解できているのだろうか」といった問いを読者のなかに呼び起こすように思えます。

（小久保）

【川】

この物語はフィレンツェのアルノ川にかかる橋の上で主に展開します。主人公とその恋人が会うのはいつも橋の上で、本作には川の描写が何度も登場します。こうした特徴はどのような意味を持っているのでしょうか。考えられる答えはひとつだけではないでしょう。

文学において、川は時の流れや自然の力、生や死など、さまざまなものの象徴として描かれます。川の描写が季節感を伝えたり、登場人物の心境や運命を表すこともあります。世界には大河や小川、澄んだ川や濁った川、激しい流れや緩やかな流れなど、さまざまな姿の川があります。同じひとつの川もまた、季節や日々の天候によってその姿を変えます。

川はその細長い流れによって世界をつなぐものでありながら、世界を隔てる境界でもあります。文学では、川は単なる地理的な境界としてのみならず、この世とあの世の境界や、心理的・社会的な境界の象徴としてよく描かれます。そのとき橋は、越境の場となりえます。

ただし橋があるからといって簡単に楽しく越境できるとはかぎりません。橋は出会いや親交だけでなく、別れや衝突、身投げの場にもなります。そして、人はただ橋の上で佇(たたず)むこともあります。し、橋の途中で引き返すこともあります。川や橋は、どちら側ともつながっていながらどちら側でもない特殊な空間なのかもしれません。

（小久保）

「ヴァンダ」が収録された短篇集原書

【語り手】

物語の主語には一人称（わたし）、二人称（あなた）、三人称（彼、彼女）があります。一人称は登場人物が語り手となっているため、限定された視点から物語ります。三人称では「全知の視点」によって物語全体を語ることができます。二人称小説と三人称小説に比べると、二人称小説はかなり少ないですが、イタロ・カルヴィーノ『冬の夜ひとりの旅人が』、フリオ・コルタサル「グラフィティ」、藤野可織「爪と目」など興味深い作品が多くあります。

「ヴァンダ」は主人公の僕の視点から描かれた一人称の物語です。主人公が理解している範囲しか、読者も理解できません。ヴァンダがなぜ不安そうにしているのか、秘密とは何かは、物語の最後まで分かりません。限定された視点を利用することであえて読者を迷わせる技法を「信用できない語り手」と言います。アガサ・クリスティ『アクロイド殺し』、カズオ・イシグロ『日の名残り』、映画『ユージュアル・サスペクツ』など、さまざまな作品で用いられています。「ヴァンダ」では主人公は恋人のことを回想しながら語っているのですから、いまはもうヴァンダの秘密を知っています。それを最後まで明かさないのは、主人公が受けた衝撃を読者に追体験してもらうためです。気づいたときにはもう遅い。そんな主人公の声が聞こえてくるようではありませんか。

（奥）

カズオ・イシグロ
『日の名残り』
土屋政雄訳
ハヤカワ文庫

十日目の虎たち

ザカリーヤー・ターミル
［訳］柳谷あゆみ

檻（おり）の中に囚われると、森は虎から遠くなってしまった。しかし虎は森を忘れられなかった。彼は憤り、檻を囲んでいる男たちを見た。彼らは好奇心いっぱいの目で恐れもせず虎を見ている。中の一人が言い聞かせるような静かな声で話していた。

「君たちが本当に私の仕事を、調教の仕事を学びたいのだったら、敵の胃袋こそが第一目標だということを一時たりとも忘れてはならないぞ。難しくて、同時にごく簡単な仕事だと判ってくるだろうから。さあ、この虎を見なさい。人を寄せつけず、尊大で、自らの自由と力と威圧感をたいそう誇っている。けれどこいつだって変わるんだ、おとなしく穏やかで小さな子どもみたいに従順になる。よく見ておきなさい。食糧を持つ者と持たざる者の間に何が起こるのかを学ぶといい」

男たちは意気込んで、私たちは調教の仕事を学びますと答えた。調教師はうれしそうに微笑むと、からかうような口調で虎に問いかけた。

「親愛なるお客さま、ごきげんはいかがかな?」

虎は言った。

「食べ物をもってこい、食事の時間が近づいてきた」

調教師はさも驚いたように言った。

「囚われの身の分際で私に命令するとは! お前はなんとも笑える虎だよ! わきまえろ、ここでは私だけが命令を下せる者なのだからな」

虎は言った。

「誰ひとり虎に命令することはできぬ」

調教師は答えた。

「しかしお前は今や虎ではない。森の中では虎だろう、でも檻に入れられた以上、今やお前はただの奴隷だ。私の命令に従い、望むとおりにするんだ」

虎はかっとなって言った。

「私は誰の奴隷にも絶対ならない」

調教師は言った。

「お前は私に従わなくてはいけないんだ。だって私は食糧を持っているのだからね」

虎は答えた。

「お前の食糧などいらぬ」

調教師は言った。

「じゃあ好きなだけ飢えればいい。やりたがらないことを強制はしないよ」

調教師は続いて生徒たちに語りかけた。

「奴がどう変わっていくかはじきに判る。頭を高く上げるだけでは飢えた腹は満たせないからな」

虎は飢えた。彼は悲しみの中、何にもとらわれず風のように獲物を追って駆けた日々を思い出した。

二日目。調教師と生徒たちは虎の檻を取り囲んだ。調教師は言った。

「お腹は空いていないか? きっとお前はキリキリ痛むほど空腹だろう。『空腹だ』と言いなさい、そうすればお望みの肉が手に入る」

虎は黙りこくっていた。調教師はさらに言った。

「馬鹿なまねはやめて言うとおりにしなさい。空腹だと認めなさい、そうしたらすぐ腹いっぱいになるのだから」

虎は言った。

「私は空腹だ」

調教師はあははと笑い、生徒たちに言った。

「ほら、もう罠(わな)に落ちたよ。まず抜け出せないね」

そして彼は餌やりを命じ、虎は大量の肉にありついた。

三日目。調教師は虎に言った。

「今日は、食事にありつきたかったら、私が要求することを実行しなさい」

虎は言った。

「私は絶対従わない」

調教師は答えた。

「まあそう性急になりなさんな、私の要求なんて楽勝そのものだから。お前は今、檻の中を歩き回っているだろう、で、私がお前に『止まれ』と言ったら、お前は止まらなくちゃいけない」

虎は心の中でつぶやいた。

「なんだ、ずいぶん些細な要求だな。だったらわざわざ頑固を通して飢えることはないな」

調教師は荒々しい大声で号令をかけた。

「止まれ」

すぐさま虎は動きを止めた。調教師は機嫌のよい声で言った。

「よくできました」

虎が喜んでがつがつ食べだすと、調教師は生徒たちに話した。

「あと何日かでこいつは張り子の虎になってしまうよ」

四日目。虎は調教師に言った。

「腹が減ったから、止まれと要求してくれ」

調教師は生徒たちに言った。

「ほら、こいつは命令を好きになりだした」

それから虎に向かって言葉をかけた。

「今日は猫の鳴きまねをしない限り、お前は食べられないんだ」

虎は怒りを押し殺し、心の中で言った。

「猫の鳴きまねさえすれば、いいことがあるんだ」

彼はにゃおうと鳴きまねをした。ところが調教師は顔をしかめ、忌々（いまいま）しげに言った。

「お前の鳴きまねは不合格だ。ガオーがにゃおうだとでも思っているのか」

虎はもう一回にゃおうと鳴きまねをした。調教師は険しい表情のまま、小馬鹿にするように言った。

「黙れ黙れ。お前の鳴きまねはまた不合格だ。今日一日、猫の鳴きまねの練習をさせてやる。明日になったらテストするぞ。合格すれば食べられるし、合格しなければお前は食えない」

調教師は虎の檻からゆっくりした足取りで遠ざかり、その後を生徒たちが、ひそひそ言いあい、笑いあいながらついていった。

虎は惨（みじ）めに森に呼びかけた。けれど森はそこに無かった。

五日目。調教師は虎に言った。

「さあ、うまく猫の鳴きまねができたら新鮮で大きな肉の塊をあげよう」

虎はにゃおうと猫の鳴きまねをした。調教師は手を叩いて喜んだ。

「すごい！　お前は恋猫みたいににゃおうと鳴いているよ」

そして彼に大きな肉の塊を放ってよこした。

六日目。調教師が虎に近づくや否や虎はいそいそと猫の鳴きまねをした。

ところが調教師は黙ったまま眉根を寄せた。虎は言った。

「ほら、私は猫の鳴きまねをしたぞ」

調教師は言った。

「ロバのいななきをまねるんだ」

虎は動揺して言った。

「私は虎だ。森の動物の皆が恐れる虎だ。ロバのまねだと？　死んでも絶対にお前の要求は呑(の)まない」

すると調教師は一言も発さずに虎の檻から遠ざかった。

七日目。調教師は穏やかに微笑みながら虎の檻へと向かった。そして虎に言った。

「食べたくないのか？」

虎は答えた。

「私は、食べたい」

調教師は言った。

「お前が食べる肉には対価が要るんだ。ロバのようにいななけ、そうすれば食べ物にありつけるんだから」

虎は、森を思い出そうとした。思い出せなかった。

虎は両眼を閉じていななき始めた。すると調教師は言った。

「お前のいななきは合格とは言えないな、しかしまあお情けで肉の塊をやろう」

八日目。調教師は虎に言った。

「これから私は演説の出だしの部分をやるから、終わったら、感動して拍手しろ」

虎は言った。

「拍手しよう」

そこで調教師は演説を始めた。

「国民諸君……これまでも我々はいくつもの場面で、我々の状況がすべて運命として定められたものであることを示してきた。敵勢力が何を企もうと、この明確な状況は決して変わらない。信仰の力により、我々は勝利するのだ」

虎は言った。

「お前の言ったことが理解できなかった」

調教師は言った。

「私が何を言おうが、お前は感動しなければならない。感動して拍手しなければならないんだ」

虎は答えた。

「許してくれ、私は無学で字も読めないのだ。お前の言葉はすばらしい、お望み通り拍手するよ」

そして虎は拍手した。だが調教師は言った。

「私はおせじもおせじを使う奴も好きじゃない。罰として今日は肉抜きだ」

九日目。調教師は牧草の束を運んできた。彼は虎に束を投げ、言った。

「食え」

虎は言った。

「これは何だ？　私は肉食獣だ」

調教師は言った。

「今日からお前は牧草しか食べない」

飢えが募り、虎は牧草を食べてみようとした。ぞっとする味で、彼は嫌悪のあまり牧草から遠ざかった。しかし彼は再び牧草のところに戻った。そして徐々にその味を楽しめるようになってきた。

そして十日目。調教師も生徒たちも虎も檻も見えない。

虎は国民になり、檻は街になった。

زكريا تامر

ザカリーヤー・ターミル（一九三一～）

ザカリーヤー・ターミルは一九三一年にシリアの首都ダマスカスに生まれました。現代アラブ文学に短篇小説というジャンルを確立し、児童文学者、ジャーナリスト、編集者としても活躍してきましたが、経済的事情により十三歳から製鉄工として働いた苦労人としても知られています。独学で教養を身に着けた彼は、青年期には困難の多い生活を送り、社会運動に参加したため逮捕拘束まで経験しています。短篇小説の執筆を始めたのは二十代後半のことです。詩的で簡潔な文章で、鋭い風刺を含んだ彼の作品は発表直後から高い評価を受け、一九六〇年に第一短篇集『白馬のいなき』刊行によって作家としての一歩を踏み出しました。以来、現在までにターミルは十一冊の短篇集を出しており『酸っぱいブドウ』（二〇〇〇年）と『はりねずみ』（二〇〇五年）は日本語訳も刊行されています（柳谷あゆみ訳『酸っぱいブドウ／はりねずみ』白水社）。本作「十日目の虎たち」は一九七八年刊行の短篇集の表題作で、彼の代表作の一つです。

ザカリーヤー・ターミル

ターミルが生まれ育ったシリアでは全体主義的な政権が長く続き、政情不安を理由に政権批判や社会批判が禁止され、思想・言論の自由が厳しく制限されてきました。作家・編集者として言論に携わってきたターミルも、一九八一年には出国を余儀なくされ、英国オックスフォードに拠点を移しています。

ターミルの作品には頭のない人間の誕生（『酸っぱいブドウ』所収「女を待つ」）など、奇想天外な設定や展開がよくみられます。創作について彼は「生と死」や「夢と現実」の境を排することを大切に考えていると述べていますが、その意図は人間の真実を正直に映し出すためだと語っています。抑圧的な現実に圧し潰されない強靭な知性が彼の作品の個性を生み出しているといえるでしょう。

彼の作品の登場人物にはあまり個人性がありません。実は私たちと同じごく普通の人々で、誰もがそうなりうる可能性を秘めています。そして、その誰もが暴力性と冷酷さを内包し、易きに流れ欲に惑いながら、些細な悪運によって犠牲者にも加害者にもなっていくのです。

暴力描写も少なくない自作について、ターミルは自分が書く暴力は（架空ではなく）日常生活に実在するものだと述べています。それを直視しはっきり描くことで、人間の一生を恥辱に満ちた過程に変えてしまう社会秩序に抵抗するのです。彼の作品の底に流れているのは、現実社会への絶望に根ざしたリアリズムであり、不条理な社会への抵抗の精神であることがわかります。

（柳谷）

ザカリーヤー・ターミル
『酸っぱいブドウ／はりねずみ』
柳谷あゆみ訳
白水社

【寓話】

寓話とは主として動物を主人公とする短い物語で、人々に教訓を伝えるために用いられてきました。古代ギリシアのアイソポスの物語集『イソップ寓話集』の「アリとキリギリス」などは今も読まれていますね。

「十日目の虎たち」は現代における寓話の意義を教えてくれます。

シリアでは国の安定を保つために政権への反対行為・思想が長らく処罰の対象とされてきました。言論・思想が制限される中、シリアの作家たちは（政権によって与えられた）画一的な価値観を脱し、自由な思想を維持する大切さを意識するようになりました。

『イソップ寓話集』
中務哲郎訳　岩波文庫

そのため現代シリア文学には、社会や政権の問題点を指摘し自律的な思考を促すという、啓蒙的な性質が強く見られます。しかし、社会や政権への疑問を明確に表現すれば作者自身にも危険が及びかねません。そこで文学に場所や時代や個人を特定しない曖昧化や象徴化の技法が取り入れられました。寓話的手法も多用されますが、それはこうした社会事情を反映した事象といえます。また、寓話には謎解きの要素があり、読者は作者の意図を自分の頭で考えなければなりません。読者の思考を促す効果もあるのです。

「十日目の虎たち」は虎の調教を描いた作品ですが、結末で虎の正体が明かされます。そのとき「私たち」は初めて題名の「虎たち」が複数形であった理由を知るでしょう。

（柳谷）

【都市】

「十日目の虎たち」では物語の場が「森」から「街」へと移行します。「街」、つまり都市に住むとはどういうことでしょうか。都市には多数の人が暮らし、農業や狩猟を行わなくても対価を支払えば食べていけます。逆に対価を支払わなければ生きにくい場所です。

物語で、捕らわれた虎は森を離れ、檻に入れられます。森は、百獣の王かつ自分自身の主として虎が、自由と尊厳を有していた場所です。虎は徐々にそれらを手放していきます。そして森を忘れ、自由と尊厳を失ったとき虎の檻は「街」になりました。

『十日目の虎たち』
アラビア語原書

結末で物語は反転し、私たちはこれが都市に住む自分たちの話だと気づくのです。虎が森を忘れたきっかけを思い出しましょう。その最初は捕らわれた時ではなく、調教師の問いかけに応じて、空腹だと認めた時でした。食料につられ、自由と尊厳を奪う相手を受け入れたのです。

誰もが人と関わりながら生きています。そのために皆が自我を抑え、他者と折り合おうとするでしょう。しかし強力な他者が自由や尊厳まで奪おうとするとき、個の自由が失われた社会はすぐ目の前にあります。これが「十日目の虎たち」を囲う「街」の姿です。生きていくために不可欠な食糧を握られた時、何が起こるか――この作品は他者に渡してはならないものとともに、それを維持することの難しさを表しています。

（柳谷）

孤児の涙／二滴の血

パルヴィーン・エテサーミー
［訳］中村菜穂

孤児の涙

ある日王様が道を通りかかったところ
熱烈な歓声が路地や屋根のあちこちで上がりました
そのなかにいた一人の孤児が尋ねました

「王様の冠に光っているあれは何？」
もう一人が答えました「ぼくらにわかるものか
　とにかくとても高価なものだってことさ」
背中の曲がった老婆が近づいてきて言いました
「あれはわたしの涙、おまえたちの心の血だよ
わたしらを羊飼いの衣服や杖でだましているけれど
　この狼（おおかみ）は長年羊たちの群れと慣れ親しんでいるんだ
村や土地を買い占める禁欲主義者は追いはぎとおなじ
　民の財産を食いつぶす王は物乞いとおなじ
孤児たちの涙のしずくを見るがいい
　宝石の輝きがどこから来たのかを知るために」
パルヴィーンよ、(1) 道を外れた者たちに正しい言葉がどうして役立つだろう
　不正な者は正しい言葉を聞いて苦しんだりはしないもの

（1）イランの詩の習慣で、詩人は自らに語りかけている。

二滴の血

二滴の血のあいだで何があったか聞いたでしょうか
　言い争いが起こったのはある日の道端でのこと
一滴がもう一方に言いました「君は誰の血だい
　僕は王冠を戴く人の手からここに滴ったんだ」
もう一方が言いました「僕はいばらを摘む人の足から滴ったんだ
　とげが針のように足に刺さったときの、その痛みから滴ったんだ」
はじめの一滴は答えました「お互いに同じ泉から生まれたんだ
　それぞれ違った人の体から滴ったとしても、かまわないさ
千滴の血も器のなかでは同じ色
　静脈からだろうと動脈からだろうと変わりはない
小さな二滴の血である僕らからどんな仕事が行われるだろう
　さあ一緒になって、もっと大きいしずくになろうよ

努力や行動のために、互いに手を取り合おう
　そうすれば行く手のあらゆる危険から逃れられる
水源から川の流れのほうに向かい
　川から海のなかにともに流れ込もう
もう一方は笑って言いました「僕と君では違いがずいぶんあるね
　君は王の手から生まれ、僕は労働者の足から生まれた
僕のような者と一緒に歩み協力しようというなら
　君が孤児の涙か労働者の血なら良かったな
君は心の安らぎや楽しみから生まれたが
　僕は背中を曲げ腰を痛めるつらさから生まれたのだ
君のためには王の台所で、いつでもごちそうが作られたが
　僕にあったのは炎のようなため息と濡れた瞳の涙だった
君は澄んだ酒のきらめきで紅(あか)くなった
　僕はいばらのさげすみや心の痛みで
僕のことを正しさの国では千人もの人が買うのだ
　なぜなら僕は心という鉱山のなかで宝石となったのだから

運命や出来事は僕のことを忘れないだろう
　このような美徳をもった血のしずくがどこにあるだろうか
この血のしるしには、二百の海が隠されている
　みなの岸辺からは、勝利の船が見えるのだ」

囚われの枷(かせ)から、この囚われびとたちは自由になるでしょう
　もし解放を求めて奮闘するなら
孤児や老婆は、これほど悲嘆に暮れることはなくなるでしょう
　もし略奪者の家に火花が落ちるなら
心卑しい者の間違った命令で人が殺されることはなくなるでしょう
　もし少年が父親がなぜ殺されたのかと尋ねるなら
圧制の木が生い茂り実をつけることはけっしてなかったでしょう
　もし処罰の手が斧(おの)を振るったなら
年老いた天は圧制の衣を縫わなかったでしょう
　もし忍耐や沈黙という裏地がなかったなら
もし悪をなす者を絞首刑に処するなら

かれより酷い者がその座につくことはないでしょう

پروین اعتصامی

パルヴィーン・エテサーミー

（一九〇七〜一九四一）

パルヴィーン・エテサーミーはイラン北西部の町タブリーズに生まれました。その頃のイランは、一九世紀から王政が続いていましたが、二〇世紀のはじめに革命が起こり、新しい近代的な体制へと向かって、政治や社会がはげしく揺れ動いていた時代でした。彼女の生まれ故郷は革命運動の最もはげしかった町の一つですが、家族はまもなく混乱を避けて首都テヘランに移り住みます。

彼女の名パルヴィーンとはペルシア語で「すばる星」を表します。父親は当時の有名な文化人のひとりで、二〇世紀初頭にイランで最初の文芸誌を編集した人でした。その雑誌ではヴィクトル・ユゴーやジャン＝ジャック・ルソーといったヨーロッパの文学者が翻訳・紹介されました。パルヴィーンはまだ幼い頃から父親に詩作の手ほどきを受けます。自宅には当時の著名な詩人や政治家といった人びとが出入りしていました。やがてアメリカ系の女学校を卒業し、その頃新しく創設された王朝のもとで、王妃の個人教師に指名されますが、彼女は固く断ります。二七歳の頃に父親の従兄弟のもとに嫁ぎますが、三ヶ月とたたないうちに実家に戻ってしまい、離婚することになりま

パルヴィーン・エテサーミー

した。その二年後、彼女を守り、励ましてくれた父親が他界し、彼女は外界との接触を失ってしまいます。その三年後、三四歳の若さで腸チフスによりこの世を去りました。

パルヴィーンの詩は生前からイランの人びとの注目を集めていましたが、その大きな理由は、書き手が女性であったことでした。伝統的にイランでは詩作は男性の手に委ねられていたからです。それまで男性中心であったイランの文学は、この時代にわずかずつ女性たちへと開かれていきました。そのような制約のもとにあったパルヴィーンの詩はごく控えめですが、しかし、芯の強さを秘めた詩であるといわれます。今日、彼女は近代イランの最も重要な詩人の一人に数えられています。

詩「孤児の涙」は、パルヴィーンの代表作の一つです。彼女はこの詩で、社会のなかで最もつらいめにあっている人びとに共感を示し、貧しい人、身寄りのない人、社会のなかで理由なくさげすまれている人びとの心の苦しみと、そのような社会を生み出している富裕な人びとや権力者への批判をあらわにしています。

詩「二滴の血」の原題は「言い争い」といいます。パルヴィーンは、ふたつの事物に人格を与えて、互いの言い分を述べさせる形式の詩をしばしば書いています。この詩では王の手から落ちた血のしずくといばらを摘む人の足から落ちた血のしずくが言い争いをします。後半では社会の不正がどうしたらなくなるのかについて、彼女の考えが述べられています。末尾の、圧制者への批判は相当に手厳しいと感じられるかもしれません。しかし、それも社会の人びとを思う彼女の信念に基づくものといえるのではないでしょうか。

（中村菜）

【階級】

階級（class）とは社会学の用語で、人が所属する、階層化された社会の集団を指しています。古代の自由民と奴隷、近代の資本家と労働者のように、そこには必ず支配と被支配の関係や、富める者と貧しい者、権力を持つ者と権力にさらされる者、といった対立が存在します。近代社会は、古い時代の身分制度を廃止し、人は生まれながらにして平等の権利を持つ、と説いてきました。憲法でも「法の下の平等」が謳われています。しかし、現実の不平等は今もそこかしこにあります。

パルヴィーンの詩では、社会の底辺に置かれた人びとの境遇が、社会階層の最上位にあり、富と権力をもつ王との対比で描かれています。一つめの詩で、王の富は「宝石」によって、孤児の貧しさは宝石というものを知らないことによって示されます。しかし、王の豪奢ぶりは正当なものとはみなされていません。革命という言葉こそ使われませんが、王は羊飼い（民衆の指導者）のふりをした「狼」なのだ、という言葉から、詩人が王を民衆の略奪者と捉えていることがわかります。

社会のしくみを固定化し、虐げられた人びとがある集団に留まるように強制するものが階級であるとするなら、パルヴィーンが教えているのはそうした「囚われ」から逃れるために、人びとが勇気を奮って闘うことなのだといえるでしょう。

（中村菜）

「孤児の涙」「二滴の血」が収録されたパルヴィーンの詩集ペルシア語原書

【象徴】

象徴（symbol）は、ある抽象的な観念を具象的なイメージとして表す手法の一つです。たとえば「鳩は平和の象徴である」といわれるときのように、一般に象徴とそれが指し示す観念との関係は、ある程度、習慣的な約束事に基づいたものといえます。ただしアレゴリーとは異なって、象徴が指し示す内容は多義的で、暗示的なものや、言葉に表しえないものを含んでいます。それゆえ芸術作品における象徴は、対象についての想像を喚起することになります。

「二滴の血」
ペルシア語原文

二つめの詩では、象徴としての「血」から、読者は様々な意味を読み取るでしょう。血は人間の生命のあかしとも考えられ、「熱血」といえば情熱的な人を指すように、快活さや感情の高ぶりにも結びつけられます。また一方で「流血」には痛みや死のイメージ、悲壮さや残酷さがつきまといます。

象徴の意味合いは文化によっても異なります。ペルシア語では「血の涙」というと、非常な悲しみと嘆きを表します。血の赤い色は紅の葡萄酒（ぶどうしゅ）を、葡萄酒がもたらす酩酊（めいてい）は、頬の紅さや人生の愉楽を連想させますが、一方で、燃え盛る炎は心の苦悩や痛みに通じています。紅い宝石であるルビーは、伝統的な詩では魅惑的な紅い唇の形容として用いられましたが、この詩では苦痛や悲嘆を知る者の心の血の結晶として、精神的な次元での価値を与えられています。

（中村菜）

たったの一九・九九シェケル（税、送料込）で

エトガル・ケレット
［訳］細田和江

ナフムが「今日の運勢」欄と「大人のオモチャのお店」の広告との間にあったこの広告を目にしたのはまったく偶然のことだった。その広告は、「これまで人生の意味を考えたことがありますか？」、「そもそもどうして我々はこの世に存在しているのだろうか？」と問い、そしてこう続く、「そのお悩みの答えがあなたのお手元へ。小さいけれど、でも素晴らしい「本」のなかに。平易な文章で、この地にあなたが存在する理由をご説明いたします。本書は良質な紙に色鮮やかな写真付き、綺麗に包装されてあなたの家に届きます。それがたったの一九・九九シェケルで！」

広告には冊子を読む眼鏡をかけた男の写真、幸せそうな笑顔を浮かべた男の写真があった。そして男の上方には「あなたの人生を変える冊子！」という文句が吹き出しに太文字で書かれていた。ナフムは広告の写真に釘付けになった、男がとても満足げだったからだ。そしてその肩の広さにも魅了された。彼を見て、「一日三〇分の使用でヘラクレスの肉体に。新規のご使用ならばたったの二九・九九シェケルで！（税、送料込）」という広告の筋骨隆々な笑顔の男性を思い出した。そうだ、それよりもこっちの方が「人生の意味」を得られるぞ、しかも一〇シェケルも安上がりで。

ナフムは手を震わせ、切手を封筒に貼り付けた。この数日がいつもより長く感じることになるとわかっていた。「人生の意味」というのはナフムを悩ませている問題だ。世間的には申し分なく満ち足りた人生、けれどナフムはいつも何かが欠けていると感じていた。それが今やたった数日で彼の世界は「完全」となるのだ。ナフムは内から沸き上がる強い好奇心を父に伝えようとしたが、思わぬ反駁にあう。

「バカ者が！　お前は本当にバカか？　詐欺師なんてやつはいつだって広告使って金儲けを企んでるんだ、そしたらうちのバカ息子みたいのが郵便局から金を送るってわけだ。」「でも父さん、この人たちは嘘つきじゃないよ。」ナフムは父の誤解を解こうとした。「広告に書いてあるんだ、もし満足できなかったなら一四日以内に送り返せば返金してくれるって。もちろん返送料はこっち持ちだけど」父は困ったような白け笑いののち、怒りの表情がまるで狂人のように、別のものに変わっていった。父はナフムの肩に手を置いて含みのある声で囁いた。「何がわかるっていうんだ?」「さあいっしょに祈ろうじゃないか、いっしょに『本』を読もう、そして『人生の意味』を学んだあとは送り返してやれ、それがふざけた野郎にぴったりだ。そうだろ?」ナフムは黙りこんだ。誠意のある言い草だとはまったく思わなかったけれど、父を怒らせたくなかった。ただ、肩に置いた父の手には明らかに力が入り、自ら怒りを膨らませていた。とうとう父は、笑止顔で「おまえはマヌケか!」、ついで「わしが『人生の意味』を見せてやろう、この愚か者が!」と靴を脱ぎながら怒鳴った。すると、「この子をほっといてあげて!」と母が息子を庇った。ナフムと夫の間を取り繕おうとしたのだ。「この子?」父は正気を失ったようにゼーゼーと息を切らして室内履きを振った。「この八月で二八歳なんだぞ!」「そうね、でもこの子は少し繊細なのよ。」と母は返す。「だからどうだっていうんだ?」と父。

友人たちにもバカにされた。誰ひとりとして彼のはやる気持ちに共感する人はいなかった、ロニットでさえも。ナフムだけがソワソワと待ち続けていた。三日後、小包が届いたという連絡が来た。父の顔には怒りがありありと見られたが、ナフムは父に荷物を奪われないよう、郵便局に受け取りに行った。彼は小包を手にすると我慢できずに、茶色い包みを破って、家に帰る道中でその「本」を読みはじめた。すると、「人類の存在の神秘」が彼の目の前に露わになってきたのだ。読み進めるページごとに「神秘」は明らかになる。この類のない「本」は単純明快な言葉で記されていた。だからナフムははじめて読んだのにすべてが理解できた。（色鮮やかな写真を見ないとわかりにくいところがひとつだけあったけれど。）そうして家にたどり着くころには、生まれてはじめて理解できたのだ、なぜ自分がこの素晴らしい世界に存在しているのか、なぜ我々がここに存在しているのかを。ずっと自分自身が無知なまま生きていたことに気づかされ、ほんの少しの悲しみを帯びた「神秘」のもたらす「崇高な歓び」に圧倒された。他の人から受けるであろう困惑とその痛みの瞬間をできるだけ避けようと心に決めて、ナフムは階段を駆け上がった。そして彼はこの「実存の神秘」を両親と共有したいという考えに至り感涙したが、その涙はほんのわずかの間に失意の涙となった。父親はというと「このふざけた茶番には加わるものか」と叫び、母親のほうは息子の話を聞きながら写真を見てただ頷く、何も考えずに頷きながらじっと眺めているだけだ。明らかに母は「本」のことなんて考えておらず、息子に上機嫌でいてほしいだけだった。

「本」を読み終わってから数時間経つとナフムは心中快々（しんちゅうおうおう）とし、後悔の念が湧いてきた。新聞をちょっと読むと、ほとんどの人が世界の他の人々の存在に無関心だと気づく。一切の戦争、殺戮（さつりく）、環境破壊は、果ては株価の暴落でさえも、無知から生じているのだ。過ちは真の人生とは何かを正しく理解していないことに起因している。この過ちは、人々が耳を傾けさえすれば、容易に正すことができる。けれども、誰一人としてその準備ができていない。親戚も、友人も、ロニットでさえも。ナフムが本当に感じたのは幻滅という痛みだった。

けれども、サラ金広告の並びの上から、見覚えのある顔がナフムの目に飛び込んできたのだ。肩幅の広い、眼鏡をかけた男の顔。その男は、厳しい表情で話に耳を傾けるもうひとりの男にこう言う、「みんな、あなたの話を聞いてくれないのですか?」と。「知り合いや親しい友人が注目してくれない? 解決法があります。一九・九九シェケルで素晴らしい冊子がお手元に。最も無関心な聞き手にさえも勝利する方法をお教えします。」ナフムは喜びを抑えられなかった。まさに絶望の淵に達していたちょうどそのとき、すべてが変わろうとしていた。「本」を待つ間、期待で胸がいっぱいだった。そして長い長い四日間が過ぎ、小包が彼の元へ届いた。息を詰める思いで、彼はその「啓発的な教え」を読み進めた。そして読み終わると父の元へ近づいていった。今度こそ自分の意見を聞いてもらえる自信があった。

物事は目まぐるしく進展していった。ナフムは「真の実存」とそれを人々に届ける方法を知ったからだ。「人生の意味」は口伝えに広がっていった、友だちから友だちへ……。母が目をキラキラさせているのを見たり、友人たちの、特にロニットの歓喜の笑い声を聞いたりしたときの、ナフムの上機嫌なようすは言葉で表すことのできないほどのものだった。けれども、厄介な問題はそこから起こったのだ。ルドヴァル地区の正統派ユダヤ教徒の若者たち数人（その中にはラビの息子もいた）がナフムの家まで会いにきて、「人生の意味」についての説明を求めた。ナフムは喜んで要望に応じ、ラズベリージュースを振る舞いさえした。若者たちはナフムに丁寧にお礼を言って去っていった。ナフムはたいして気にも留めなかった。そのころ、多くの見知らぬ訪問客があり、ああした宗教派の若者たちも他の人たちと変わりはなかったから。

　けれども翌日、何百もの正統派のユダヤ教徒が彼の家を取り囲んで裏庭を埋め尽くした。彼らが「……リリットの息子　頭蓋骨を砕かれし　イスラエルの民は歓喜に沸く……」「……はかりごとを立てよ　しかしそれは破られる……」と歌いはじめたとき、ナフムは「問題」を引き起こしてしまったことを悟った。浴室の窓からなんとか逃げ出し、家のほど近くの、もう誰も使っていないシェルターに隠れた。毎朝、ロニットがサンドイッチと保温ポットのコーヒーを持ってきてくれた。彼女がサンドイッチを新聞紙に包んで持ってくるので、ルドヴァルのラビの孫がブネイ・ブラク（テルアビブ近郊の、宗教派が多く住む町）のユダヤ教神学校（イェシヴァ）から大量の生徒を動員し、「聖典などに真実を見いだすのは無意味なことで今やそれは明らかだ」と語っているのを知った。正統派の共同体は、この問題すべてがナフム個人に責任があるとみなした。そしてこの面倒な状況でも十分でなかったのか、さらにナフムの父がことを悪化させてしまった。「人生の意味」に対する父の考えは変わっていなかったけれど。キャロットの缶詰を効果的に使って、ルドヴァル地区の先唱者を集中治療室送りにしたのだ。

ナフムはルドヴァル地区のラビに、すべてはただの「誤解」で、自分が示す「人生の意味」は反宗教的なメッセージではないと説明したかった。むしろ正反対だ、とわかってほしかった。それからというもの、ナフムは大贖罪日（ヨム・キプール）のとき常に断食をするようになった。成人式（バル・ミツヴァ）のお祝いには聖書（トーラー）を諳んじたり、他の「良いユダヤ教徒」と同じようにスポーツ自転車を贈られたりした。けれども、ナフムがシェルターの近くの公衆電話でラビに連絡を取ろうとすると、いつも相手は何も語らず、「聞け、イスラエルよ！」とブツブツ祈り、イディッシュ語で「救済」を求め、ナフムが口を開く前に電話を切ってしまう。ナフムは落胆した。自宅がいつも取り囲まれているし、ラビから公然と非難されているせいなのだとナフムは思った。シェルター内のカビや、母親の手料理を食べたいと思う心のせいだとは思わなかった。

そんなちょうどどん底の時期、火曜日のツナサンドイッチがすべてを変えた。サンドイッチが包まれたその日の新聞の記事に、父の「缶詰攻撃」から完治して退院した、ルドヴァルの先唱者へのインタビューがあった。ところが、彼の目に留まったのは記事の上にあった広告だ。肩幅の広い例の男が不自然な格好で、鋭い戦斧を持って威嚇（いかく）しているヒゲもじゃの巨人と対峙する。男はメガネをかけた鋭い目つきで巨人を睨（にら）みつける。その射抜くような視線はビームのように描かれていた。宣伝文句はこうだ、「あなたには敵はいますか？　あなたを痛めつけようとしている人がいますか？　心配ありません！　たったの一九・九九シェケルで我々の新しい冊子『簡単な七つの演習で敵から味方へ』を購入し、一度読むだけで負のエネルギーをプラスに変える方法を学びましょう。」

ナフムは急いで送金し、まもなく「本」が届いた。彼は一気に「本」を読み切り、地下シェルターに住むヒト嫌いのネズミたちに「道」を説きはじめた。すぐにネズミとは「友だち」になれた。ナフムはシェルターの冷水を使って髭を剃り、服にできる限りきちんとアイロンをかけた。彼は近所のリサイクルショップで丸帽(キッパ)を購入し、ルドヴァルのラビの家へと遠出する。道中、慎ましく振舞っていたのに、なぜかひどく注目を浴びた。ラビの家に到着すると群衆が彼をボコボコにしようと待ち構えていた。けれども、いっしょについてきたたくさんの「友だち」のネズミがナフムを守ってくれた。バルコニーに出てきたラビはその騒ぎのわけに気づき、はたしてナフムを一瞥(いちべつ)したのち、「誤解」があったのだと群衆を諭そうとした。「やめなさい、」ラビはバルコニーから叫んだ。「君たちは今、『救世主』と対峙しているのがわからないのか？　彼が『神の言葉』を伝えにきたということを。」群衆はナフムを見て、事情を察した。その夜、彼らは祝宴を開いた。ナフムの父親とルドヴァルの先唱者がともに手と手を取って「和解」し、ダンスを踊り、ナフムの「友だち」のネズミたちは「正気を失う」ほど酔いつぶれた。

それからまもなく、「人生の意味」は世界中の人びとに伝えられた……。「人類の存在の神秘」はウイルスのように広まった……。ナフム自身も「ナイトラインニュース」に駆り出され、教えを説いた…。世界の国々はおしなべて武装解除に合意する……。剱は農具に加工され、他の武器も鋳直され、よりよい「平和」利用が進められた……。

ナフム自身は、世界全体の幸福に小さな役割を果たしたことに満足し、両親が住んでいるアパートの裏庭に作った小さい畑でトマトを育てることに没頭していた。ただ彼には気がかりなことがひとつだけあった。「死」についての問題だ。以前には何とも思わなかったけれど、すべてが素晴らしい今となっては「死への恐れ」だけが彼を捉えていた。

そんなある日、父親に日刊紙のある広告を見せられて、ナフムがどんなに喜んだことか。そこには、これまでよりもっと若くて肩幅の広いメガネの男がこう請け負っていた、「……この色鮮やかな冊子があなたに不死をお見せします。あなたに求められているのは一日わずか十五秒の括約筋トレーニングです。それをたったの三九・九九シェケルでお手元に。」

「見たか?」とナフムの父親はこう言って息子を揶揄う、「ちょっとうまくいったら、もう値上げしたぞ。」

אתגר קרת

エトガル・ケレット（一九六七〜）

イスラエルのテルアビブで生まれたケレットは、両親ともがホロコースト生存者の第二世代です。ナチ・ドイツから追われて育った両親には、絵本を読み聞かせられた経験がありませんでした。そのため、親となった彼らは子どもたちにさまざまな空想を語りました。ケレットの作風には、こうした幼少期の経験が影響しているのかもしれません。

のちにテルアビブ大学では優秀な学生数名に与えられる奨学金を受けるほどの秀才であったケレットも、兵役では落第生でした。イスラエルは国民皆兵制を布いており、男女を問わず一八歳になると招集されます。ケレットは軍事作戦に参加することもなく、部屋にこもって監視をする役を与えられました。その兵役中に仲の良かった友人が自殺し、鬱屈とした気持ちの逃げ道として物語を綴り始めます。彼の初めての短編「パイプ」（『早稲田文学』二〇一四年冬号収録）が生まれたのはそのときでした。本作は「パイプ」とともにデビュー作『パイプライン』（九二年）に収録された作品で、怪しげな啓発本の通販広告を見つけたことで「人類の実存」を見出した青年の顛末を描いています。壁にぶつかるたびに新たな啓発本に頼る主人公のナフムはひたすら真面目で滑稽です。彼は「騙されて」いますが、最後までそのことに気がつきません。

エトガル・ケレット
photo by Stephan Röhl

ケレットの物語はほとんどが五、六頁の短編で、今回訳出したものは違いますが、「死」がテーマの話が多数あります。自殺、テロ、殺人という際どい「死」を描いているのに、読後には不思議とクスッと笑ってしまうシュールな世界が広がっています。ネズミと友だちになったりパラレルワールドが登場したりと、ありえない話ばかりですが、実は、彼自身や周囲の人間の体験を下敷きにしています。

イスラエル国内だけではなく世界四〇カ国以上で翻訳されている人気作家のケレットですが、邦訳は『クネレルのサマーキャンプ』などの掌篇集が三冊、絵本やエッセイも刊行されています。また、「クネレル～」を基にしたグラフィック・ノベル『ピッツェリア・カミカゼ』も発売され、日本国内での紹介が進んでいます。

ケレットの作品は、ドキュメンタリー『エトガル・ケレット～ホントの話』（二〇一七年、蘭）に挿入された「でぶっちょ」など、他のメディアでも楽しむことができます。本作「たったの一九・九九シェケル～」も、英語訳タイトルの『$9.99』でクレイ・アニメ化されています。

テロや戦争など、イスラエルの特殊な日常が垣間見えるケレットの作品ですが、そうした状況を知らなくても十分楽しめます。ただし、こうした背景がわかればまた別の楽しみが生まれる、これがケレット作品の醍醐味なのかもしれません。

（細田）

エトガル・ケレット
『クネレルのサマーキャンプ』
母袋夏生訳
河出書房新社

【ユーモア】

ユーモアとは、他人を傷つけずに人を和ませる明るい笑いのことで、知的な笑いのウィットや、笑わせること自体が目的のジョーク、皮肉を交えた笑いで世相などを批判する諷刺とは少し異なるものです。ユーモアは小説のジャンルでもあり、描かれている社会や文化が現れます。古くは英のジェローム・K・ジェロームの『ボートの三人男』やチェコのヤロスラフ・ハシェクの『兵士シュヴェイクの冒険』などが知られています。

ユダヤ人とユーモアには親和性があります。長らく「離散の民」として社会の周縁に置かれている彼らには、差別や苦難を乗り越える「笑い」が必要だったのです。ヨーロッパのユダヤ人たちは自分たちの俗語(ジャルゴン)(イディッシュ語)などでユーモアを語り継いでいました。その伝統がアイザック・シンガーやシャーロム・アレイヘムらアメリカに移住したイディッシュ語作家に引き継がれ、多くの作品が生まれました。彼らはホロコーストでさえも笑いの対象としています。

ホロコーストの第二世代であるケレットにもまさにこうしたユーモア精神が宿っています。特に、戦闘機が墜落し、グアバに生まれ変わって新たな「墜落」の恐怖を感じるパイロットの話など、「死」がテーマの不謹慎な物語には、その精神が顕著に現れています。

(細田)

ヤロスラフ・ハシェク
『兵士シュヴェイクの冒険』
栗栖継訳
岩波文庫

【広告】

ドイツの批評家ヴァルター・ベンヤミンは、一八二〇年代からパリで発達した、流行の商品をショーウィンドウに展示する店が並ぶ「パサージュ」の分析を通じ、人びとが単に使用価値（実用性）のためだけでなく、商品を包むイメージや幻想を求めて購買意欲をそそられるようになってゆく過程を記述しました。社会が商品の姿を取ったモノで満たされてゆくのと同時に、広告は存在感を増して、幻想の魅力、「見せかけの輝き」で商品を包み上げる、と彼は考えました。

商品の魅力が実用性にだけあるのではなく、それを描写し、飾り立てる言葉にこそあるということを、フランスの批評家ロラン・バルトも、ファッション誌の言葉づかいを分析して主張しました。モード（流行）が衣服について、色とりどりの言葉で飾り立てるのは、現実のモノに「意味」のヴェールをかけ、購買意欲をそそる必要があるからだと、彼は述べます。よってモードと文学には、言葉で記述することで対象を初めて実在させる、という共通点があります。

商品を購入し、使うとき、わたしたちは、その使用価値を消費していると同時に（あるいはそれ以上に）、広告など種々のメディアを通じて流布する「見せかけの輝き」「意味」を消費していると言えます。

広告の踊り文句によりよい生を夢見る本作の主人公には、そのような現代人の姿が、誇張されて投影されていると捉えることもできるでしょう。

（福嶋）

カーニヴァルの残りもの

クラリッセ・リスペクトル
［訳］福嶋伸洋

いえ、ついこのまえのカーニヴァルのことじゃないの。でも、どうしてかわからないけど、今年のカーニヴァルで子どもの頃のことを思い出して、リボンとか紙吹雪の残りが舞っている、静まり返った通りの、灰の水曜日に連れ戻されたみたいだった。カーニヴァルのあとで誰もいなくなった通りを横切って、顔をヴェールで覆った信者の女がひとりふたり、教会に向かっていた。次の年のカーニヴァルの季節が来るまで静まり返っている通りを。そして、お祭りが近づいてくる頃のわたしの心の高ぶりを、どう言い表せるでしょう？　まるで世界がやっと花開いて、つぼみから真っ赤なバラになるみたいだった。レシーフェの通りとか広場が、自分たちが何のために作られたのかを、初めて教えてくれるみたいだった。カーニヴァルはわたしのもの。わたしのものだった。

でも実際には、わたしはほとんどカーニヴァルの中に入ることはできなかった。子どもたちのパーティに行ったこともなかったし、仮装をさせてもらったこともなかった。その代わりに、わたしたちが住んでいた二階建て家の、階段の下にあった扉のところで、他の人たちが楽しんでいるのを、夜の一一時くらいまでうらやましく見ていることだけが許されていた。わたしはふたつだけ貴重なものをもらって、それがカーニヴァルの三日間はなくならないように惜しみながら使っていた——香水鉄砲と、ひと袋の紙吹雪。ああ、書くのがつらくなってきた。こう認めることで、わたしの心は暗くなってしまうだろうから——わたしは楽しいことにほとんど縁がなくて、取るに足らないものを手に入れるだけで幸せな女の子になれるくらい、そういうものを強く望んでいた。

それで仮面は？　わたしは怖かったけれど、その気持ちは、人の顔も一種の仮面なんじゃないかという心の奥底にあった疑念から来る、はげしくて避けがたいものだった。階段下の扉のところで、仮面をつけた人に話しかけられたら、わたしはすぐさま、やむをえず内心の世界に逃げ込んだ。その世界には、お化けとか魔法にかかった王子さまとかだけではなくて、謎めいた人間たちもいた。仮面をつけた人たちに対する恐怖さえ、わたしの本質のひとつだった。

わたしは仮装させてもらえなかった。みんなが母の病気を心配していて、うちでは誰も子どものカーニヴァルのことなんて気にかけていなかった。でもわたしは姉のひとりにお願いして、大嫌いだったまっすぐな髪を巻いてもらって、少なくとも一年に三日間だけは巻き髪にしている女の子だという自尊心を抱くことができた。その三日間には姉はさらに、早く年頃の女の子になりたいというわたしの夢を聞き入れて――わたしは、かよわい幼少時代を早く抜け出したくてたまらなかった――、唇には濃い口紅を、頬にはチークを塗ってくれた。わたしはそれで自分が美人になり、女らしくなったように感じて、子どもっぽさから逃げることができた。

でも、他のときとは違うカーニヴァルがいちどあった。奇蹟みたいに思えて、そんなにたくさんのものをもらえたことが、ほとんど信じられなかった。わたしは、多くを求めないことが習い性になっていたから。友達のお母さんが娘を仮装させることにして、その仮装の名前は「バラ」だと、デザイン画にあった。そのためにピンク色のクレープ紙を何枚も何枚も買って、たぶん、それで花びらを作ろうとしていた。わたしはあっけに取られたように、衣装がだんだん形になり、できあがっていくのを見守っていた。遠くから見ても、クレープ紙は花びらには似ても似つかなかったけれど、それは今まで見たことのある仮装のなかでいちばんきれいなものに入ると、わたしは真剣に思っていた。

予期していなかったことがたまたま起こったのは、そのときだった――クレープ紙に余りが出た。しかも、たくさん。それで友達のお母さんは――たぶんわたしの無言の願いに応えて、無言の、うらやましくてたまらない気持ちに応えて、あるいはただ、紙が余っていたからよいことをしてあげようと思って――、余った材料でわたしにもバラの仮装をさせてくれることにした。だから、その年のカーニヴァルで、わたしは人生でずっと望んでいたことを初めて実現できることになった――それは、自分ではない誰かになるということ。

準備だけでもう、くらくらするほど幸せな気持ちになった。そんなに忙しい思いをしたことはそれまでになかった――細心の注意を払って、友達とわたしはすべてを計算づくでやった。仮装の下にはスリップを着た。そうすれば、もし雨が降って衣装が溶けてしまっても、少なくとも裸にならずには済むから――雨が降ってスリップ姿になると空想しただけでわたしたちは急に、八歳なりの女の羞恥心から、死ぬほど恥ずかしくなった――でも、ああ！ 神さまが味方してくれるはず！ 雨は降らないはず！ 他の誰かの余りもののおかげでわたしの仮装が存在しているという事実について言えば、わたしはいつも強烈だった自分のプライドを少しだけ苦しみながら飲み込んで、運命が恵んでくれたものを謙虚に受け取ることにした。

でも、どうしてあの年のカーニヴァルに限って、仮装することのできたたったいちどのカーニヴァルに限って、あんなに憂鬱なものになってしまったのだろう？ 日曜日の朝早くからわたしは髪を巻いて、午後までその巻き髪がもつようにしていた。でも、期待が大きすぎて、時間が経つのは遅かった。やっと、やっと！　午後三時になった——紙が裂けないように気をつけながら、わたしはバラを身に着けた。

これよりも悪いこともたくさん起こったけれど、わたしはもうそれらを赦した。でもいまでもわたしは、このことだけは理解もできないままでいる——運命のさいころ遊びに、理性というものはないのだろうか？　それは哀れみを持たないものだ。クレープ紙の衣装を完璧に整えて、巻き髪もきれいで、あとは口紅とチークを塗ればいいだけだった——わたしの母の容態が急に悪くなって、家のなかが急にばたばたし始めて、わたしは急いで薬を買いに行くように言いつけられた。バラの姿で、わたしは走った——でも顔はまだすっぴんで、幼さを隠してくれるはずの大人っぽい化粧をしていなかった——わたしは走りに走った。戸惑いながら、驚きながら、カーニヴァルのリボンや紙吹雪や叫び声が飛び交うなかを。他の人たちの陽気さに、わたしはびっくりした。

何時間か経って家のなかが落ち着きを取り戻したとき、姉が髪をとかして化粧をしてくれた。でももう、わたしのなかで何かが死んでいた。そして、わたしが読んだことのあった、魔法をかけたり解いたりする妖精たちが出てくる物語みたいに、わたしにかけられていた魔法も解けていた——わたしはもうバラではなくて、ただの女の子に戻っていた。通りまで降りて立っていたけれど、わたしはもう花ではなくて、赤い唇で物憂そうにしているピエロだった。うっとりしてみたいと渇望しながら、ときどきうれしい気持ちが浮かびそうになったりもしたけれど、母の容態が重いことを思い出して後ろめたくなり、また死にたい気持ちになった。

何時間か経って、初めて救いがやってきた。それに飛びついたのは、どうしても自分を救わなければならなかったからだった。一二歳くらいの男の子、わたしにとってはもう青年みたいな歳の男の子が、美形のその男の子が、わたしの前で立ち止まって、優しさと荒さと遊び心と色っぽさとが混じりあったしぐさで、もうまっすぐに戻っていたわたしの髪を、紙吹雪で覆った――わたしたちは一瞬、向かい合って、無言で微笑みを交わした。そしてわたしは、大人の女を気取っていた八歳のわたしは、その夜のあいだずっと、やっとわたしの正体を見破ってくれる人が現れたと考えていた――わたしは、そう、バラだった。

Clarice Lispector

クラリッセ・リスペクトル（一九二〇～一九七七）

著者のクラリッセ・リスペクトルは、一九二〇年一二月一〇日、ウクライナのユダヤ人家庭に生まれました。両親はユダヤ人への迫害から逃れるため、やっと二歳になったばかりのクラリッセを連れてブラジルに渡りました。ウクライナの記憶はまったくないと語るクラリッセは、ブラジル北東部の古都である港町レシーフェで幼少時代を過ごし、八歳で母親を喪ったあと、一四歳で、家族とともに当時のブラジルの首都リオデジャネイロに移りました。

リオデジャネイロ連邦大学で法学を学ぶものの、文学により強く惹かれ、ジャーナリズムの世界に身を投じます。一九四四年、二四歳のとき、初めての長篇小説『野生の心の近くに』が好評をもって迎えられました。代表作『G・Hの受難』（一九六四、邦訳あり）や『星の時』（一九七七）などの長篇小説は、リオを舞台としていますが、作品の主役はむしろ、登場人物の心理であり、それをこまやかに分析する文体である、と言うべきかもしれません。

そのような書き方を念頭に置いて、クラリッセの作品を英訳したグレゴリー・ラバッサは、彼女について「外見はマレーネ・ディートリッヒのようで、文体はヴァージニア・ウルフのよう」という言葉を残しています。マレーネ・ディートリッヒは、おもに一九三〇年代にハリウッドで活躍した女優、ヴァージニア・ウルフは、登場人物の心に浮かぶ「雑念」のような切れ切れの言葉までも地の文に取り込んだ、「意識の流れ」と呼ばれる独特の手法で名高い、イギリスの女性作家です。

クラリッセはまた、優れた短篇集も残しており、『家族の絆』（一九六〇、邦訳あり）や、ここで紹介した短篇を収めた『非合法の幸せ』（一九七一）などがあります。自伝のように読めるこの「カーニヴァルの残りもの」は、リオに比べれば田舎町だったレシーフェでの、すでに母親の影がない頃の、あるカーニヴァルでの思い出を描いているようです。

この短篇は、「自分が自分でないものであること」に誰かが気づいて、ささやかなまなざしや言葉でそう伝えてくれるだけで微かな救いを覚える、もろい心が存在するということを教えてくれています。

フランスの哲学者エレーヌ・シクスーはクラリッセについて、「彼女がわたしたちに差し出すのは書物ではなく、わたしたちに一歩引いた視点をもたらす書物や語りや構成によって救われる、生きるという行為である。そして、彼女の〈窓越しに書くこと〉を通じて、わたしたちは読み方を学ぶという恐ろしい美へと招き入れられる。そしてわたしたちは、身体を通り過ぎて、〈わたし〉のもうひとつの側面へと移ってゆく」と書いています。

クラリッセは、長篇小説において、エレーヌ・シクスーが語るような特異な経験をもたらす文体の革新を試みたいっぽう、短篇小説においては、この「カーニヴァルの残りもの」がそうであるように、日常や身近なものをていねいに描きつつ、それらを綻びさせる何かを現出させる、優れた筆さばきを見せています。

（福嶋）

クラリッセ・リスペクトル
1972年撮影

【カーニヴァル】

カーニヴァルは、ヨーロッパに古くからあった祝祭が、キリスト教の普及によって「四旬節」の前の「謝肉祭」として、教義内に位置づけられ、定着したものと言われています。とくに有名なのはヴェネツィアのカーニヴァルで、きらびやかな仮面や衣装を着けて、屋外でパレードしたり屋内で踊ったりするものです。

現在、カーニヴァルと言うとリオデジャネイロのそれが真っ先に思い浮かぶ人が多いと思いますが、元は王侯貴族がヨーロッパから持ち込んだものです。一九世紀末頃、それを真似てリオの路上でカーニヴァルを行い始めたアフリカ系の人びとが、打楽器とダンスを取り入れ、二〇世紀の初めにサンバと呼ばれるダンスミュージックが生まれました。

ロシアの批評家ミハイル・バフチンは、中世のヨーロッパに見られた、人びとが階級や上下関係から離れて自由に楽しむカーニヴァルに、社会秩序を反転させる契機を見て取りました。またドストエフスキーの長篇小説にも、多様な声の交錯という、カーニヴァルに似た性質を見出し、それを文学作品が持つ重要な力だと考えました。

いっぽうイタリアの批評家ウンベルト・エーコは、バフチンの論に一部異議を唱え、カーニヴァルは日常生活の鬱憤を発散させる、いわば安全弁となることで、むしろ社会秩序を維持する役割を果たしている、と論じました。

誰もが日常から離れて浮かれ騒ぐ、非日常の時間——そう捉えれば、必ずしもカーニヴァルの形を取らない「祝祭」は、さまざまな文学作品のなかに見られるはずです。

（福嶋）

【自伝的作品】

自伝とは著者が自らの人生について語る作品のことで、ノンフィクションが前提となっています。とはいえ、フィクションにおいても自伝的作品は少なくありません。「カーニヴァルの残りもの」は作家の幼いころの記憶が薔薇とともにあざやかに蘇る作品ですし、ユーゴスラヴィアの作家ダニロ・キシュの「少年と犬」（『若き日の哀しみ』所収）は少年の辛い思い出が犬に託されています。

ダニロ・キシュ『若き日の哀しみ』
山崎佳代子訳
創元ライブラリ（東京創元社）

作家と少年の名前は一致しませんが、キシュの主人公は長じて作家となり、犬の物語を書くことになります。事実でもあり虚構でもある記憶の世界は、文学創作の重要な源となってきました。

自伝的作品のなかでも、著者と主人公の一致を読者に強く想起させる作品を、自伝的創作（オートフィクション）と言います。大江健三郎『取り替え子』の主人公、長江古義人は作家自身と伝記的事実の多くを共有していますし、二〇〇六年には金原ひとみが『オートフィクション』という作品を書いてもいます。作者と作品を切り離して考えるという二〇世紀半ばの文学批評を経て、作者と作品はますます分かちがたくなっています。現実と虚構を混ぜ合わせた自伝的創作は、小説の領域を拡げる野心的な試みなのです。

（奥）

名前のない花　昔話

アンドレイ・プラトーノフ
［訳］古川哲

この世界に一つ、小さな花がありました。この花のことを誰も知りませんでした。花は荒れた土地でぽつんとして育ちました。牛やヤギはそこには行くことがなく、ピオネールのキャンプに来た子供たちもそこで遊んだことは一度もありませんでした。荒地には草は育たず、あったのは古い灰色の石だけで、そしてそれらの間には乾いて干からびた粘土があるだけでした。風だけが荒地を行き来していました。種をまく人のように、風は草木の種を運んできてあたり一面にまいていました。湿り気のある黒い土にも、石がむき出しになった荒地にもです。たっぷりとした黒い土のなかでは種から花や草が生まれ、石と粘土のなかではそれらの種は死んでいきました。

　あるとき、風に乗ってやってきた一粒の種が落ちてきて、石と粘土の間の小さな窪(くぼ)みに落ち着きました。長い間この種は苦しみ、そして露を吸い込んで湿り、真っ二つになり、なかからは細い産毛のような根っこが出てきて、石と粘土に滑り込み、育ち始めました。

　そのようにしてこの小さな花の一生が始まりました。石と粘土には養分がありません。空から落ちてきた雨粒は、地面を流れるだけで花の根っこまでやってきませんでした。それでも花は生き続け、少しずつ上へ伸びていきました。彼は風にも負けず葉っぱを伸ばしたので風は花のすぐそばで静まりました。風は粘土の表面に細かいほこりを落としていきます。それは風が、黒くて養分がたっぷりある土の表面を吹いて、ここまで持ってきたものでした。それらのほこりは花にとってご馳走(ちそう)の材料でしたが、まだほこりは乾いていて食べられません。ほこりを湿らせようとして、花は夜のあいだずっと露を待ち構え、葉っぱに数滴ずつ集めました。葉っぱが露で重くなると、花は葉っぱを下に垂らして、露は下に落ちていきました。露は風が運んできた黒い土のほこりを湿らせて、粘土を少しずつ柔らかくしていきました。

　昼間には花は風を待ち構え、夜は露を待ち構えていたということになります。花は昼も夜も働きましたが、それは死なずに生きていくためでした。そして、風を引き留め露を集めるために、葉っぱを大きくしていきました。しかし花にとって、風が落としていくほこりだけで生きていくことは、露をさらに集めなければならなかったこともあり、難しいことでした。でも彼は生きたくてたまらなかったので、お腹が空いて疲れたせいで痛いくらいだったけれど辛抱強くこらえていきました。一日に一度だけ、嬉しいひとときがありました。それは、朝日の最初の日差しが、花のくたびれた葉っぱに触れる時なのでした。

風が長い間荒地に吹かなければ、小さな花は具合が悪くなり、生きていき大きくなるための力が足りなくなりました。

花は、それでも、悲しみに暮れて生きていきたいとは思いませんでした。それだから、本当に悲しくなった時には、彼は居眠りしていました。とはいっても、彼はいつも成長するように努めました。根っこで摑めるのが石ころと乾いた粘土だけの時でもそうでした。そのような時は花の葉っぱは力をみなぎらせて青々とすることができません。葉脈は、一本が青くなり、もう一本は赤くなり、三本目は空色あるいは金色になりました。これはなぜそうなるかというと、花に食べ物が足りなくて、その苦しさが葉っぱのいろいろな色になってはっきりと現れていたのでした。でも花は自分ではこのことを知りません。目が見えず、自分がどんなふうだか見えていなかったのですから。

真夏になり、花はつぼみを開きました。それまでただの草に似ていたのが、これで本当に花らしくなりました。咲いた花には、輝くような、澄んだ、そして力のこもった色をした花びらがついていて、まるでお星様のようです。花はお星様が輝くように生き生きとした揺らめく炎で輝いていて、暗い夜でも見分けられるほどでした。そして風が荒地にやってきたときにはいつも、風は花に触って花の匂いを持っていくのでした。

あるときダーシャという女の子が朝にその荒地のそばを通ったのでした。ダーシャは他の女の子たちと一緒にピオネールのキャンプにやってきていて、今朝は目が覚めたらお母さんに会いたくて寂しい気持ちでした。そしてお母さんに手紙を書き、早く配達されるようにと駅までそれを持ってきたのです。道を歩きながらダーシャは手紙の入った封筒にキスをして、手紙のことを、ダーシャよりも先にお母さんに会えるから羨ましいなと思いました。

荒地のあたりまできてダーシャはとても良い匂いを感じました。ダーシャは周りを見回しました。近くには一本も花は咲いていず、小道の脇に小さな草が生えているだけで、荒地はあたり一面、土がむき出しでした。しかしその荒地から風が吹いてきて穏やかな香りを運んできたのです。それは知らない小さな生き物が呼びかけてきているようでした。ダーシャは、ずっと前にお母さんが話してくれたおとぎ話を思い出しました。お母さんが話してくれたのはある花のお話で、その花は自分のお母さんであるバラに会いたくてたまらなかったのですが、泣くことができなくて、悲しい気持ちはとても良い匂いとなって現れたのでした。

「もしかしたら、これって花が自分のお母さんに会いたがっているのかもしれない。私みたいに！」ダーシャはそんなふうに考えました。

ダーシャは荒地に行って、石のそばにその小さな花を見つけました。ダーシャは今まで一度もそんな花を見たことがありませんでした。野原にも、森にも、本の挿絵にも、植物園にも、どこにもありませんでした。ダーシャは花のそばの地面に座り込むと花に尋ねました。

「どうしてそんなふうにしているの」

「わからない」と花は返事しました。

「それじゃどうして他の花にちっとも似ていないの」

花は今度も、なんと言ったらいいか分かりませんでした。しかし花は人間の声をそんなに近くで聞いたのは初めてでしたし、誰かに見られるのも初めてでしたので、黙っていてダーシャが傷ついたらいやだなと思いました。

「苦しいからです」と花は返事しました。

「あなたのことをみんな、なんて呼んでいるの」ダーシャは聞きました。

「ぼくに名前をつけて呼んでくれる人なんていないんだ」小さな花はそう言いました。「ぼくは一人で生きているから」

ダーシャは荒地を見回しました。

「そこに石がいるし、そこに粘土もいるじゃない！」とダーシャは言いました。「あなたが一人で生きているってどういうことなのかな。あなたはそんなに小さいのに、粘土のなかから大きくなって、死んでもいないということはどういうことなのかしら」

「分からない」花は答えました。

ダーシャは花のほうにかがみこんで、輝いている花の頭のてっぺんにキスをしました。

次の日にピオネールのみんなが小さな花のところに遊びにやってきました。ダーシャがみんなを連れてきたのですが、まだ荒地につくよりもずっと前に、みんなに深呼吸をさせ、こう言いました。

「いい匂いがするのが分かるかな。これは花が呼吸しているの」

ピオネールのみんなは長いこと小さな花の周りに立ち止まり、英雄を見るかのように見とれていました。そしてみんなは荒地を隅から隅まで歩き回り、歩幅で地面を測り、干からびた粘土を肥えさせるためには堆肥や灰を積んだ台車が何台必要か計算していました。

みんなは、荒地の土が良くなればいいなと思っていたのです。そうすれば、名前のわからない小さな花も、ほっと一息つくことができるだろうし、その種からは素晴らしい子供たちが育ち、死んでしまうことなどないでしょう。彼らは、本当に並ぶもののないほど良い、きらきらした、他のどこにもない花たちなのです。

ピオネールのみんなは四日間働き、荒地の土を良くしました。そしてそのあと彼らは他の野原や森へと旅していき、その荒地にはもうやってきませんでした。ダーシャだけは、あるとき、小さな花にさようならを言うためにやってきました。夏はもう終わっていて、ピオネールのみんなは家に帰るために出発しなければいけなくて、みんないなくなりました。

そして次の夏にダーシャはまた同じピオネールのキャンプに参加しました。長い冬の間ずっとダーシャは名前のわからないその小さな花のことを覚えていました。そしてキャンプに着くとすぐダーシャは、花に会うためにこの荒地にやってきたのです。

ダーシャは、荒地が今や以前とは違っていることを見てとりました。荒地には草や花がびっしりと生えていて、その上には鳥や蝶が飛んでいます。花々からは、あの小さな頑張り屋さんの花と同じとても良い匂いがしました。

でも、石と粘土の間で生きていた去年の花は、もうありませんでした。きっと、この前の秋に死んでしまったに違いありません。新しい花たちも同じくらい良かったのですが、それらはあの最初の花に比べて少しだけ劣っていたのです。そしてダーシャは以前の花が無いせいで悲しくなりました。彼女は来た道を戻っていて突然立ち止まりました。隙間もないほどびっしり重なった石の間で新しい花が育っていたのです。古い花とそっくりで、しかしそれよりも少し良くて、さらに素晴らしい花でした。この花はぴったりと合わさった石の間で育ったのです。花は自分のお父さんがそうだったように生き生きとして我慢強く、そしてお父さんよりもさらに強かったのでした。なぜなら、それは石のなかで生きているのですから。

ダーシャは花が彼女の方を向いて、自分のとても良い匂いという言葉のない声を使って、自分の方に呼び寄せているような気がしました。

Андрей Платонов

アンドレイ・プラトーノフ

（一八九九〜一九五一）

社会主義は、都市の労働者と農村の農民がより豊かに暮らせるようにするという理想のことをいいます。ロシア革命のあと成立したソ連の新しい政府は、この社会主義の理想を広く伝えようとしました。そして、積極的に社会に関わりたいと考えていた芸術家のなかには、新しい政府に自発的に協力したひともいました。しかし、こうした芸術家たちは社会の理想像に関しては政府に従っていくことになります。

アンドレイ・プラトーノフが文学という芸術を志した時に巡りあわせたのは、革命を経て大きく様変わりしていく社会でした。プラトーノフはロシア西部、ドン川の支流沿いにあるヴォロネジという都市で労働者の家庭に生まれます。十代から詩を書き始めますが、専門学校では電気工学を学びました。卒業後は、技術者として勤務しています。しかし文学への志は抑えがたく、一九二〇年代後半に首都モスクワの文壇にデビューし、作家としての道を本格的に歩みます。

労働者出身の作家は、社会主義を掲げるソ連にとっては好ましい存在でした。またプラトーノフ本人にも、新しい社会の建設の担い手としての強い自覚があったようです。同時代の社会の欠点を、笑いを交えながら批判的に描き出す風刺をちりばめた作品を彼は書いているからです。しかし、彼の作品は評論家たちの評判が悪く、作品を発表する機会は一九三〇年代に入ると減ってゆきます。

一九三〇年代後半以降、晩年に至るまで、プラトーノフは作品発表の機会を求めて努力を重ねます。そうして、児童文学という場を見出します。ただし、そこでもプラトーノフは同時代の状況を踏まえながらも、自分の立場をはっきりと打ち出します。ソ連では、国家の最高指導者を敬い献身的に奉仕することを子供に教えるという役割が児童文学に期待されていました。それに対してプラトーノフは、革命に伴う激動のなかで孤児が増加したことを重くみて、血の繋（つな）がった家族の大切さを強調しました。「名前のない花」は作者の死後、一九六九年に『家族と学校』という雑誌に掲載されました。執筆された時期は不明です。ピオネール（ボーイスカウトやガールスカウトにあたります）のキャンプで少女が見つけた花についての物語である本作を読んで、読者の皆さんには何が伝わったでしょうか。ここで描かれているのは、国家よりはずっと小さな、実際の親と子の絆です。

子供時代、周囲の何もかもが初めて見る珍しいものだったことをあなたは思い出せるでしょうか。そして新しく目にしたことを秘密になんかしないで家族にすぐ話したくてたまらなくなったことも。そんな頃のことを思い出しながらこの作品を読んでみていただければと思います。

（古川）

アンドレイ・プラトーノフ
1922年撮影

【砂漠】

砂漠とは、水が少なく植物がほとんど育たないようなとても広い場所です。日本には砂漠は存在しませんから、砂漠を体験することは非日常的な体験でしょう。それでも、例えば自分が砂漠に置き去りにされたらどんな気分か、想像してみてください。そのとき、砂漠を舞台とする作品では、生命が危機にさらされることに焦点が当たりやすいことに納得がいくことでしょう。

ヨーロッパの文学者たちにとって砂漠は縁遠い空間でしたが、実体験を含めた情報を思索の中で結晶化させる試みが行われてきました。プラトーノフの『名前のない花』には、砂漠という単語は現れません。しかし、顕微鏡を覗いているかのような描写を通して現れる「花」を尊重し慈しむような、語り手の気持ちの動きを思い出してください。この点は、彼がカスピ海沿岸の乾燥地帯を舞台にして書いた短編や、中央アジアの砂漠で取材して書いた中編に深く通ずるものを感じさせます。そこには、砂漠という環境で生きる人間とその環境に対する敬意が根付いています。サン＝テグジュペリの『星の王子さま』には、飛行機の操縦士としてアフリカの砂漠に不時着したときの経験が反映しているとされていますが、『名前のない花』でも『星の王子さま』でも、擬人化された「花」が重要な役割を果たしています。この共通点を入り口に読書の幅を広げてみると良いでしょう。

（古川）

サン＝テグジュペリ
『星の王子さま』
内藤濯訳
岩波文庫

【子ども】

「子ども」とは、「大人」への前段階的な過程にある人間です。生きる力や知性・分別などの能力において大人に劣ることは言うまでもありません。同時に、子どもは無限の可能性を持ち、大人と同等あるいは大人の思いも及ばないことをなしうる「小さくて大いなる人間」でもあります。子どもについての捉え方は時代によって変わり、子どもを取り巻く環境も時代とともに変化してきました。そのため文学においても、子どもはさまざまな描かれ方をします。純真無垢な存在だったり、賢明な大人のようだったり、ときにはずる賢く残酷な悪魔のようでもあります。ただ確実に言えることは、大人は誰もが、かつては子どもだったということ、そしてまた、大人は誰も、二度と子どもには戻れないということです。

旧ソ連時代は、子どもは「共同体の子ども」であり、社会主義国家の担い手として教育されました。児童文学もその目的にかなうものでなければなりませんでした。そうした制約の下（もと）で発せられた、作家マルシャーク（一八八七～一九六四）の「小さな人たちに大きな文学を」という言葉は示唆に富んでいます。いつの時代にも児童文学は、やがては子ども時代に別れを告げ大人になる者たちに、世界の矛盾や不条理の中で人間はどのように生きていくべきかという真摯（しんし）な問題を物語っているのです。

（小林）

サムイル・マルシャーク
『森は生きている』
湯浅芳子訳
岩波少年文庫

アップルパイの午後

懶(ものう)い日曜

尾崎(おさき)　翠(みどり)

兄
妹
友達

兄、机で読んでいる。
妹、向い合った机で書いている。

兄　（読んでいた雑誌を投出し、手を伸ばしていきなり妹の頭を打つ）
妹　何。

兄　莫迦。
妹　訳をおっしゃいよ。
兄　恥さらし。
妹　訳をおっしゃいてば。
兄　（雑誌を巻いて机を叩く）何だ、これは。
妹　知らないわ。兄さんが何を読もうとお勝手だわ。兄さんの読書で私の打たれる理由が何処にあるのよ。訳をおっしゃい、訳を。
兄　打つ理由があるから打つんだ。（雑誌を投げる）見ろこれを。醜態のありったけをさらして。
妹　何なのよ、これが。私の校友会雑誌じゃないの。（語調を変えて）ああ、雪子さんの名文があったでしょう。おめでとう。
兄　名文どころかい、この際に。
妹　そうお。（雑誌を机の抽斗にしまいながら）すばらしい月夜の溜息ね。
兄　何が月夜の溜息なんだい。
妹　ほんとに読まないの。夜露に濡れた足があって——四本よ——、足のぐるりにこおろぎの媾曳があって、こおろぎの上に二つが一つに続いてしまった肩が落ちてて——月光の妖術で上品な引きのばしよ——、遠景の丘に文化村のだんだんになった灯があって、その一ばん高いのは月光の抱擁に溶けこんでいて、低いのは夜露に接吻しているの。それで、四本の足は月夜の溜息なのよ。
兄　（てれて）莫迦。もうすこし人なみな物言いを稽古しろ、代名詞使いめ。お前の言葉と来たら年中謎謎なんだ。

妹　私雪子さんの文章をおさらいしただけよ。解らなきゃ謎謎を解くわ。妹に対しては唐辛子のはいったソオダ水のような男が歩いてるのよ。夜。お揃いで。この男はお揃いだと――月光があればなおのこと、お砂糖のすぎたチョコレエトになってしまうの。そして熟れすぎた杏子畑の匂いの溜息を吐くの。何もわざわざ説明しなくたって解りきったことだわ。

兄　莫迦だな。見せろ、もう一度。

妹　（抽斗を抑えながら）もう一度読んでもう一度ひとの頭を打とうというのね。見せますか。

兄　見せろったら。打たないから。

妹　訳をおっしゃいよ、さっきの。

兄　（抽斗から雑誌を取って貪り読む）

妹　（雑誌を奪う）何処までチョコレエトなのよ。ひとを打った理由も言わないで月夜の溜息を読むなんて。訳をおっしゃいてば。私今後は拳骨一つだって理由を糺さずには置かないことよ。お人好くしてればきりがないわ。今までだって理由なくいくつ打ったと思ってるのよ。ちゃんと日記につけてあるから、私、何時かは総決算をするつもりよ。

兄　（雑誌を奪う）見ろこれを。（読む）

「私は不幸にも唐辛子のはいったソオダ水のような兄を持っています。そしてこの四月からソオダ水と一緒に暮らさなければならなくなりました。この意味では私がこの学校に入学したことは大きい不幸です。兄の癇癪は手近に一つの頭を必要とします。そしてその頭を打つか、髷をつかんでおさげにするか、二つの方法によって鎮まることが出来ます。私ははじめへヤネットを使いました。けれどネットはおさげの防御としてはそう役立ちませんし、遅くも三日目には新らしいのと取換えなければなりません。私の参考書はネットに侵されてしまいました。それで私は髪を切りました。私の机に実験心理学や邦訳つきナショナルや言語学概論が積まれたのは、私の髷が失くなった後のことです。私の断髪は事情の切迫からで、はやりからではありません。」莫迦。何だって堂堂と「変態趣味からです」と書かないんだ。

妹　変態趣味。何なのよ、それは。

兄　自分の趣味を考えてみろ。趣味だけならまだしも、お前のことときたら何もかもに変態という字を冠せて丁度なんだ。変態感情。変態感覚。変態性……

妹　何が、何が変態感情なのよ。好いかげんに汚ない名を並べて。何処がどんなんだか説明なさいよ。

兄　説明の代りに次を読んでやるよ。これが何よりの説明なんだ。「私はあと一ケ月かからなければ言語学の遅れを取返すことが出来ません。言語学は塩もお砂糖もない学問です。考えながら歩いていた詩人が煉瓦塀につき当って鼻眼鏡をこわしたとしたら、彼は自身が足と同時に頭を働かしていたことに腹を立てるより、煉瓦塀に腹を立てる筈です」ふん。僕が作文の先生だったら、「火星きってのへぼ詩人だってこんな文章は書かない筈です」と評を入れて突返してやるよ。言語学と詩人の煉瓦塀とどうつながりがつくというんだ。

妹　私がその作文の先生の先生だったら、

「聯想の飛躍を知らざる者に死あれ」と書くまでよ。

兄　それくらいなことは平気で書いてるさ。（読む）「桑木博士の哲学概論ほか三四はまだ買えませんので、神田の古本の予算を立てています。哲学は思ったより愛嬌のある横顔をしています。塩と砂糖でかくし化粧をしています。正面の胡椒粉はこな白粉にすぎません。煉瓦塀で眼鏡をこわした詩人は、こんどは新調の鼻眼鏡の中ですこし眼を細めました。今夜の眼鏡の前にある横顔がかくした化粧のためとはいえ案外美人だったからでしょう。しかし私は相変らず惨めです。何時揃うか解らない私の古本参考書は、日光消毒に日曜を四つつぶさなければならないペエヂ数を持っています。そして、そして、断髪は私の打たれる防禦までは兼ねてくれません。私の兄は髷のなくなった頭をも打たずにはいられない癇癪もち……」見ろ、恥さらし。僕の名誉はどうなるんだ。

妹　野蛮人に名誉がありますか。

兄　いったいどっちが野蛮人なんだい、雑誌に発表する作文に、私、兄、なんて言葉を使う奴と、それを打たずにいられない方と。

妹　無論打つ方が野蛮人よ。それに私ほんとのことを書いたまでだわ。兄さんのふだんがふだんだからこんな作文にもなるのよ。

兄　お前が打つだけの原因を与えるから打つんだ。すこしでも妹なみな妹だったら誰が好んで打つものか。それに何だい、白粉の名前も知らないくせに哲学の化粧法なんか書いて。

妹　知っていますよ。ナハチガル化粧液の匂いだって知っていますよ。

兄　だから変態感覚だと言うんだよ。恋ぬきで詩人の修業をしてみたり、机の上で哲学の横顔をぬすみ見したり。確実なのは経験なんだ莫迦。

妹　また循環だわ。幾度繰返したら好いのよ。経験のお説教だってちゃんと日記につけてあるから。

兄　千度でもつけろ。

妹　何のためにつけてあると思ってるのよ。こんど国へ行ったらお父さんに見せるためですよ。

兄　勝手に見せたら好いじゃないか。おかっぱと一緒に見てもらったら好いだろう。

妹　月夜の溜息も一緒だということを忘れないで頂戴。（机に向って書き始める）

兄　いったいお前は何しに東京まで来たんだ。

妹　勉強しに来たんですよ。兄さんに打たれるためじゃありません。

兄　（ペンを奪う）莫迦。何が勉強なんだ、兄に反抗することばかり覚えて。いったいお前くらい男に似た女はないぞ。頭を切ったり、青い靴下をはいたり。衿頸ときたらバリカンの跡で蒼くなっていて、その下が粟っかすのような肌の粗い頸なんだ。その下がにこりともしない洋服の衿だ。のどぼとけはとび出しているし、肩は骨でこちこちなんだ。見ろ、青い靴下の中味を。何処に女らしい丸みがあるんだ。牛蒡の茎だってお前の足より柔かいじゃないか。

妹　薊の花だってお前より四倍も女らしい。——解りきったことお止しなさい。

兄　いったい女が三週間に一度ずつ床屋に通いだしたらおしまいだよ。

妹　ネットを破いたのは誰なのよ。ネットの数だって日記につけてありますよ。

兄　千度でもつけろ。お前が小間物屋に行くのはネットを買う時ぐらいのものさ。

妹　（兄の口調で）僕だって一週に一度ずつは行く。（自分の調子に還り）雪子さんはライラック水の空瓶を一つも捨てないでしまって。毎週のを日附入りで。鏡台の抽斗に這入りきらなくなったってこぼしてたわ。それから先週のナハチガル化粧液はライラックよりよけい月夜の溜息に近い匂いなんですって。独逸ものだけに深刻で。こんどの号には「ウエルネル、クラウスの厚味とナハチガル液の芳香」という論文を書くんですって。（別なペンで書き始める）

兄　ああ。僕はこの妹のためにどれだけ生活を乱されたら好いのだ。いよいよ手紙だ。親父に迎いに来させるんだ。僕はこれ以上の方策を考えることが出来ない。

妹　お書きなさいとも。お父さんに来てもらえば私だって好いわ。私だってこれ以上打たれていなくたって好いわ。お茶の出し方がまずいってば打つし、電気の笠にほこりが溜ったってば打つし何処にこの年して頭を打たれる妹があるのよ。元来別々に下宿するんだったわ。兄さんがどんなに野蛮かってことは小さい時から十分承知してて一緒に住むなんて、私自分のお人よしが嫌になってしまったわ。

兄　お前をすこしでも女に近づけろって親父に押っつけられたから僕だってこんな不愉快な日を忍んでいるんだ。好んで一緒にいるかい。にも拘らず頭は勝手に切る、指のペンだこは大きくする。何処に手のつけようがあるんだ。（ペンをつきつける）第一この万年筆を見ろ。男の僕だって五分間も書いていたら手がだるくなりそうな男持ちじゃないか。銀行屋の出来損いめ。これがお前の好みというものなのだ。無細工で、バスで、塩っからくて、衿頸そっくりなんだ。だから哲学の化粧法も論じたくなるんだ。

妹　目方を量ってごらんなさいよ。細い軸に銀のすすきの穂が絡まっているのと、これと、どっちが重いか。

兄　そんな女らしい持物があるんなら出してみろ。目の前で量ってやるから。

妹　ライラックの空瓶の部屋に行ってなさい。それまでこの男持ちのも貸してあげるから。いったい何だって今日はぐずぐずしているのよ。日曜ですよ。（腕時計をみて）定刻を過ぎていますよ。

兄　他の知ったことかい。（腕時計を見ていらいらと部屋を歩く）

妹　早く行って頂戴てば。勉強も何も出来やしないわ。一週一度の静かな半日が台なしだわ。

兄　御都合通りに行くかい。今日は改めて意見することがあるんだ。

妹　私もう我慢ならないわ。すぐお父さんに来てもらって下宿するから。

兄　虫の好いことを言うな。こん度こそ親父に来てもらって国に引込ませるんだ。頭でも伸ばしてさっさと嫁に行っちまえ。元来お前は一族中の型破りなんだ。二十にもなって嫁に行かない女が一族中の何処にいるんだ。お花叔母さんは十六で嫁に行って十七でお母さんになった――

妹　（兄の口調で）貞子は十八でりっぱな細君になった。

兄　二十三の忠太君が十九の芳子と婚約したし、何処に姨捨山なんかうろついている女があるんだ。いったい二十にならないまでに嫁に行くのが僕たち一族の女性の誇りなんだ。おかめ坂の上り下りで足を棒にした奴があるかい。まだ十五の邦子だってお前ほど乾燥した頸は持ってやしないんだ。

妹　そうですとも。あの頸は白粉漬けですよ。

兄　お前も国へ帰って白粉の選択くらいは出来る修業をしろというんだ。

妹　（抽斗から頼信紙を出して書く）
兄　（腕時計を見ながらいらいらと歩きまわる）
妹　（頼信紙を持って出て行こうとする）
兄　何処へ行くんだ。まだ話は済んでないのだぞ。（頼信紙に気づく）誰に電報打つんだ。
妹　他の知ったことですか。
兄　だしぬくつもりだな。（頼信紙を奪って読む）莫迦、莫迦。何だこれは。何時僕が発狂したんだ、何時。
妹　その通り気ちがいじゃないの。
兄　きさまこそ気ちがい病院に行けば好いんだ。（頼信紙を摑んで捨てる）怺えてたってきりがない。僕は断行する。（頼信紙に書き、出て行こうとする）
妹　（頼信紙を奪って読む）いつ、いつ私が発狂したのよぉ。
兄　現在さ。乾燥狂で貧血性ヒステリイなんだ。
妹　（頼信紙を摑んで捨てる）何なのよ、その貧血性ヒ、口にするのもいやな病名だわ。
兄　貧血性ヒステリイさ。解らなければ幾度でも数えてやるよ。
妹　何の根拠があれば私にそんな病名を被せれるのか説明なさい、説明を。
兄　心臓に手を置いて考えてみろ。お前の心臓ときたら血液どころか水だってありやしないから。いったいお前は二十歳の今日まで誰に、誰に恋をしたことがあるんだ。どんな女だって二十歳までもし独りでいたら、心臓に二つや三つの孔はあいてるんだ。これがほんとの女なんだ。ところがお前のときたらかすり傷一つないじゃないか。だからのどぼとけがとび出して来るんだ。男、女。男、女。男、女。これが健全な世界の正体なんだ。お前なんか桁はずれの、存在理由なしなんだ。

妹　螺旋狂（らせんきょう）の男ヒス。（机に向って書く）

兄　桁を外したのが何と言ったってかまうものか。（歩きながら）だから男も女も存在理由を獲得するには恋なんだ。リイベ、こい、ラヴ。何処の国だってだからこの事実には美しい言葉を当てているんだ。お前の青靴下と正反対な美しい言葉を。（足許を瞶（みつ）めてゆっくり歩きながら、だんだん独語的になる）詩を作るより恋をしろ、だ。哲学の横顔よりリイベの音に酔うんだ。こい。ラヴ。リイベ――。（急に妹の書いているのに気づき）また電報を書いているのか。断じて電報は打たせないよ。

妹　やかましいわね。すこし静かになりかかったと思ったら。（頼信紙を全部投げ出して）書きたければ幾枚でもお書きなさい。（書きつづける）

兄　（歩きながら）だからお前が人間として存在して行くには、やはり恋なんだ。聞いてるのか。（妹の机の側に来る）何を書いてるんだ。恋をしろと言うのだよ。

妹　（書いていた紙を伏せて）誰に言ってるの。

兄　お前自身に言ってるんだ。こ、い、を、し、ろ。

妹　いまに月夜の溜息を吐くわよ。どいて頂戴、私忙がしいのだから。何だって今日は三時にもなるのに出かけないのよ。雪子さんが存在理由を失くするわ。他のおせっかいはたくさんよ。（書く）

兄　（腕時計を見ていらいらと歩きまわる）親父もお母さんも貧血性ヒステリイの治るのばかり待ってるんだ。今から恋を始めれば頭を切ったことでそうお母さんを悲しませないで済むんだ。遅くはないよ。（時計を見る。目立っていらいらする）聞いてるのか。（妹の側に来る）何を書いてるんだいったい。

妹　（紙を伏せる）忙しいんですってば。

兄　原稿紙だな。また校友会雑誌に恥さらしをしようというのか。見せろ。

妹　（紙を庇う）そうじゃないのよお。

兄　見せろ、ともかく。今後原稿紙に書いた字は一行だって僕の検閲を経なければならないんだ。

妹　原稿じゃないんですってば。

兄　何しろ僕の名誉のために検閲の必要があるよ。（紙を取る）「だってきまりが悪るかったんですもの。でもお怒りになっちゃいやよ」何だいこれは。お前の作文にしちゃしおらしすぎるぜ。

妹　返して頂戴てば。

兄　（黙読して）へええ。誰の作品なんだい、これは。

妹　一葉全集の写しなのよ。返して頂戴てば、急ぐのだから。

兄　（妹を遮りながら）面白いな、女らしくて。「でも今日いらして下さらないのはお怒りになったからじゃなくって。もう一時すぎたんですもの。私おひる前から不安で、おひるは御飯を一つしか食べませんでした。それで、惨めな気もちでこの手紙を書いていてたら、ソオダ水がいきなりひとの頭を打ちましたの。ただささえ惨めな物思いで一ぱいの頭を」何だ、今日のお前の記録じゃないか。

妹　そうよ、ほんとは私の手紙。

兄　お前の手紙。それじゃお前は恋をしてるのか、え、恋を。誰がこの手紙の受取り手なんだ。僕は嬉しいよ。話してくれ。

妹　でも、受取り手のない手紙なの。

兄　隠さなくたって好いよ。僕は時時は癇癪もちだけど、こんな時には好い聴き手になるよ。

妹　——ただね、私、女としてあまり殺風景だから、こんな手紙の作文を書いて女らしい気持を味わおうと思ったの。

兄　そうか。しかし悪い傾向じゃないよ。そんな心がけなら今に受取り手が出来るよ。そしたら衿頸だって美しくなって来るんだ。人工で乾燥さしてるだけで、元来はそうみっともない頸じゃないのだから。

妹　兄さんてば一しんに書いてる最中に、いきなりひとの頭を打つんですもの。

兄　済まなかったよ。僕の悪い癖なんだ。（手紙をとびとびに読む）「あの時、私がちょっときまり悪るがったために、もうアップルパイにも逢えないかと思って、私悲しいんですの」本物とすこしも違わない気分が出てるよ。お前だってこれだけ書けるんだ。惜しいなこれに受取り手がないなんて。——松村に出してみたらどうだい。松村ほど適任者はないよ。兄妹だけあって横顔が雪子さんにそっくりなんだ。隣り合って講義を聴いてると、講堂にいることを忘れるよ。

妹　そうね。私だって雪子さんと並んで講義を聴いてると、講堂の気分じゃない、かも知れないわ、未来のことだけれど。

兄　そうなるのがほんとだよ。それに、今のアップルパイで思いだしたけど、松村もお前と同じアップルパイが好きなんだ、濃いお茶で。

妹　そうお。（手紙を折りながら）ともかくこれから時時お稽古するわ。（時計を見る）

兄　それで初めて目的観に添うんだ。（時計を見る）

友達が這入って来る。菓子の包みを持っている。兄、友達に何か言おうとして口籠り、蒼くなって立っている。

妹　いらしたわ、やはり。（友達の手を取り、机の側につれて来る）怒っていらっしゃらないのね。（菓子の包みを取る）アップルパイ。怒らなかったのね。

友達　（兄を気にしながら）何を怒らなかったんです。アップルパイがどうしたんですか。僕は小野君に用事があって――

兄　雪子さんは何と言ったのだ。早く聞かしてくれ。どっちにしたって運命なら、僕は――

妹　そうじゃないのよ兄さん。お稽古なのよ。（友達に手紙を渡しながら）大丈夫よお稽古なんだから。兄さんが恋の稽古をしろって言ってるところに丁度あなたがいらしたんですもの。早く読んで頂戴。私いま速達で出すところだったの。

友達　（まだ兄を気にする）

兄　どっちなんだ雪子さんの言葉は。

妹　（兄に）お稽古なのよ。（友達に）早く読んで頂戴。

友達　（手紙を読み始める）
兄　どっちなんだ雪子さんの返事は。
友達　（手紙から眼をはなさない）
妹　私今朝から初めておなかがすいたわ。（包みを解く）やはりアップルパイね。（兄に）お稽古よ、兄さん。
兄　勝手に稽古しろ。（友達に）どっちなんだ。
友達　（漸く手紙から眼をはなす）妹がね、忘れるとこだった、お待ちしていますと言ったよ。
兄　来いって。雪子さんが、僕に、来いって言ったんだね。
友達　「お待ちしています」
兄　間ちがいないね、「お待ちしています」だね。
友達　間ちがいなく。
兄　そうか。「お待ちしています」。僕は――電報を打つんだ。（頼信紙の一枚を拾って書く。一字ずつ切りながら読む）コンヤクシタスグキテクレ。間違いはないかよく聴いてくれ。幸福すぎる時は妙なことを書くものだから。コンヤクシタ。スグキテクレ。
友達　何のことだいそれは。
兄　僕が婚約したんだ、雪子さんと。君が承諾の使者なんだ。
友達　ただ「お待ちしています」だよ。
兄　暗号なんだ僕達の。僕は先週の丁度今日雪子さんに申込みをしたんだ。お待ちしています、承諾。太陽は沈みました、拒絶。そのどっちかを持って今日君が来ること。僕たちの打合せは素朴なんだ。僕はこの一週間、さっきまで、婚約と失恋の中を泳がされたけれど。（急に立上って入口に行く）

妹　お待ちなさいよ。今電報を打ってどうするの。

兄　親父を来させて結婚するんだ。

妹　惜しいわ。月夜の溜息が一つ減ってしまうんですもの。

兄　松村とお前で埋めたら好いだろう。お稽古でなく本物で。

松村、妹を姨捨山から狩り出してくれ。男くさい衿頸を君の接吻で洗ってくれ。お稽古でなく本物で。（出て行く）

妹　（お茶の支度のために部屋を出入りした後）駄目ね。湯わかしのお湯がみんな発ってしまったわ。お午からずっと懸けてたんですもの。すこし待ってね。

友達　お茶なんかどうだって好いから、おかけなさい。

妹　でもお茶が濃いほどあなたはやさしくなるんですもの。（パイを切る）

友達　（パイを舐めながら）パイだけの方が好い。お茶に酔うとまたお口を拝借したくなるから。

妹　（パイを舐めながら）まだ怒っていらっしゃるの。手紙にあんなに書いたのに。

友達　「だってきまりが悪るかったんですもの」か。だからお茶は入れないで下さい。

妹　この手紙なんて先週のことよ。（立上る）またお湯が発ってしまうわ。

友達　お湯なんか勝手に発たしておけば好い。僕はもう濃い奴を飲んだ気もちになってしまったんです。

妹　（反射的に手巾を出して口辺を拭く）

友達　（性急に）そのまま。何て惜しいことをするんです。甘いほど好いんだ。

＊本テクストの底本には、『定本　尾崎翠全集　上巻』（筑摩書房、一九九八）を用いた。なお、現代の読者に親しみやすくするため、歴史的仮名遣いを現代仮名遣いに改めたほか、難読と思われる漢字に読み仮名を付している。

尾崎翠（一八九六〜一九七一）

尾崎翠という作家の名前を耳にしたことはあるでしょうか？　世界文学アンソロジーに一名だけ日本人作家を選ぶとしたら、真っ先に思い浮かぶ名前ではないかもしれません。しかし、尾崎翠の作品を読むと、どこか世界的な想像力を持った作家だという印象を受けます。生まれ故郷の鳥取から若い頃に何度か上京し、一九二〇年代後半から三〇年代前半にかけて東京の一角で質素な生活をしながら執筆活動をしていた彼女は、ヨーロッパの新心理主義思想や前衛芸術、文学や映画などに親しみ、それらの影響を取り入れながら独自の作品世界を表現していきました。「第七官界彷徨」「こおろぎ嬢」「地下室アントンの一夜」などの小説の他、戯曲「アップルパイの午後」、エドガー・アラン・ポーの短編「モレラ」の翻訳、「映画漫想」というエッセーなど、多岐のジャンルに渡って執筆活動を行いました。その作品の多くは、哀愁が漂いながらもコミカルでパロディーに満ちており、一風変わったタイトルが付いていて、百年近くたった今でもモダンで新鮮な印象を与えます。本作品「アップルパイの午後」は短い戯曲形式の作品ですが、尾崎翠らしさが凝縮された代表作のひとつと言えるでしょう。

尾崎翠
「文章倶楽部」大正9年2月号より
（写真提供：日本近代文学館）

尾崎翠は、日本初の女子大である日本女子大学校（現：日本女子大学）に入学するため一九一九年に上京しますが、在学中に小説を発表したことから自ら退学し、一度は鳥取に戻ります。一九二七年に再び上京して上落合で暮らした数年間には、近くに住んでいた林芙美子を始めとする作家や芸術家たちと交流しながら、幾つもの優れた作品を書きました。しかし、頭痛薬による幻覚症状がひどくなり、家族に鳥取に帰省させられてからは、ほとんど筆をとることはありませんでした。文壇の主流に入ることなく、忘れ去られてしまったかのようでしたが、一九六九年に『全集・現代文学の発見』第六巻『黒いユーモア』（学藝書林）に「第七官界彷徨」が収録され、一九七一年には作品集『アップルパイの午後』（薔薇十字社）が出版されたことをきっかけに、全集や文庫本が次々と出版され、近年では新たな読者を獲得しています。

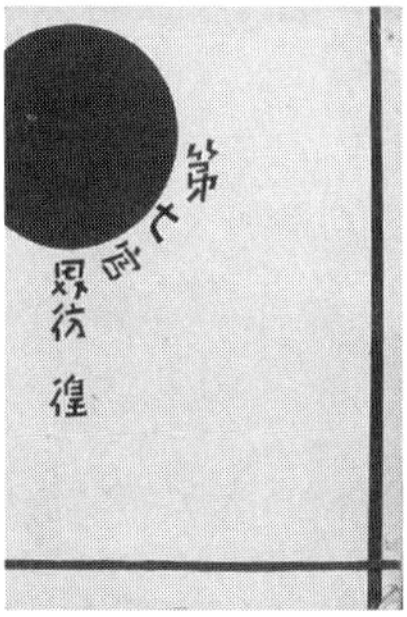

尾崎翠は、文学史上に残らない声を拾い上げることに興味を持ち、「東洋の屋根部屋に住む一人の儚い女詩人」（「こおろぎ嬢」）のような、一見社会に適応できない、ひかえめな主人公を描いてきました。「第七官界彷徨」でも、詩人になることを夢見る主人公小野町子は、詩を綴ったノートを机の引き出しにしまったままです。一方、「東洋の詩人という意識を持っていたというところに、世界的視野を感じさせます。これらの主人公はひかえめなだけでなく実にユニークな視点や想像力を持ち、そんな作品世界や登場人物が、今でも読み継がれている理由なのでしょう。

（由尾）

尾崎翠『第七官界彷徨』
啓松堂
（写真提供：日本近代文学館）

【ジェンダー】

「アップルパイの午後」の中で、兄は妹に「男、女。男、女。男、女。これが健全な世界の正体なんだ」と言い聞かせます。その二元的な尺度で見ると、妹の髪の毛はモダンガールもどきの断髪、暇があれば「男持ち」の万年筆を片手に机に向かい、二十歳になるのに結婚しない。全く理想的な女性像に当てはまらない妹に対して、兄は「いったいお前くらい男に似た女はないぞ」と嘆きます。これは全て、兄の視点から妹をコミカルに描いたシーンですが、恋人にあてたラブレターを『一葉全集』の写しだと嘘をつくなど、兄よりずっと上手な妹を軸にこの作品を捉えると、当時の社会規範を代弁するかのような兄のセリフは、風刺的に読むことができるのです。

本作品でコミカルに描かれる「社会的・文化的な性差や性役割」のことを、一般的にジェンダーと言います。「男らしさ」「女らしさ」という二項対立で示されることの多いジェンダー概念は、生まれた瞬間から様々な形で「自然に」身につけられます。家族や学校、メディアや社会などによって強化され、性役割に応じて日々行動することによって、あたかもそれが生まれ持ったものであるかのように受容され、その習得のプロセスは隠蔽されていきます。既存の常識を問い、このプロセスの社会構築性を明らかにしていくこと。こうしたジェンダーの視点で日常生活を振り返ってみると、世界はどのように見えてくるでしょうか？

モダンガール
（1928年、銀座にて撮影）

（由尾）

【戯曲】

戯曲というと演劇を思い浮かべると思いますが、実は舞台のために書かれたのではない戯曲というものがあります。このような実際に上演されることのない戯曲のことを、レーゼドラマと言います。本作品はその一例で、役者や舞台装置や小道具はなく、台詞とト書きのみで物語が進んでいきます。登場人物は「兄」「妹」「友達」のわずか三人。「アップルパイの午後」という可愛らしいタイトルとは対照的な「懶(ものう)い日曜」というサブタイトル。ト書きは最小限の動きを説明するのみで、ほとんど兄と妹のやり取りで進められるこの作品を読むとき、あたかもその会話に立ち会っているような印象を受けるのは、なぜでしょうか?

小説の場合、読者は地の文によって筋書きを追い、風景描写や心理描写などを通して登場人物の内面にまで入り込むことができます。それに比べて戯曲は、全てが台詞を通して伝えられます。情報量が少ない反面、会話の中に口語的な要素を取り入れやすく、トーンや言い回しなどの工夫によって、より生き生きと臨場感あふれる情景を繰り広げることが可能になるのです。また、地の文を通して客観性を取り入れることができる小説に比べて、戯曲はそれぞれの登場人物の視点がそのまま台詞として表現されます。読者は台詞を解釈し、想像力で補うことによって、作品世界を作り上げる参加者となるのです。

(由尾)

尾崎翠
『アップルパイの午後』
薔薇十字社

上着

ジャック・ルーマン
［訳］中村隆之

バーに入ると、セーヴルはみずしらずの場所に来てしまった旅行者のような感覚を覚えた。壁に貼られたいくつものポスターがタバコの煙のむこうで光っている。かれはすみっこの暗がりの席にすわった。となりでは酔っ払いが寝ている。くつろごうとして相手をあらっぽく押しのけた。酔っ払いは半開きのどんよりした目つきで「ナポレオンは寝台で死んだ」と言い、そのそばからまた眠りこけている。セーヴルはこのセリフに笑みも返さず、窓を眺めた。雨が街灯の明かりを弱めている。金色の細い針がざあざあと落ちている。そのむこうは、かすんだ深い夜、深く暗い沈黙だ。

――扉が開いたままなら、ここのやつらはみんな黙るだろうに。セーヴルはそう考えた。沈黙が入ってきてやつらの息を詰まらせるだろうに。

雰囲気は良かったが、うるさかった。大声が発せられるたびに、額をひっぱたかれる気がした。

ひとりの娼婦が船乗りの男と腕をくんで階段を上った。ものうげな仕草だ。ほんの一瞬、セーヴルの思考はかの女をたどった。かの女の白い肌を、赤く汚れたベッドカバーに大の字に横たわる姿を想像した。

――どうして「赤」なんだ？　すかさず考えた。わからない。けれどもベッドカバーは赤色で間違いない。

かれはリキュールを一杯、ついで二杯、三杯と飲んだ。するととても暑くなり、上着を脱いで、目の前の壁に刺さった鋲（びょう）にかけた。

バーの奥では話が盛り上がっている。女の声がひときわ大きくなると、ぷつりと途切れた。するとバーは静まり、聞きとれないひそひそ話になった。あの酔っ払いが目を覚ました。痩せた顔で目は泳いでいる。その額には妙なことに「V」のかたちをした小さな跡が入れ墨されている。この男は突然セーヴルにたいして露骨にいやな態度をとった。すぐそばでそうした感覚を覚えたことで、彼は体が痛くなったような気がし、こう聞こえたときには激しい身震いがした。

――同志よ、一杯つきあってもらえませんか？

ところが、かれは拒まなかった。

威勢よく乾杯し、ふたりは飲んだ。

酔っ払いはこう言った。

――おれの名はポール・ミロン、あんたは？

――あんたに関係ないだろ？　セーヴルは文句を言った。

しばしの沈黙ののち、ミロンが言葉を継いだ。

――で、仕事は？

――なにもしちゃいない。セーヴルは怒鳴るように言った。

こみ上げる怒りは頭までのぼり、激情をこらえるかのように酔っ払いからやや距離をとった。

――そうか、そうか。まあいいよ。ミロンは言った。

重い静寂がふたりのあいだに生まれると、ふたりを引きはなした。

蓄音機(グラモフォン)が年老いた歌姫のしわがれ声で泣いている。

狭いバーの壁はおろかでかなしいロマンスを映しだしている。ひとりの女が体を抱えこんですすり泣いている。男たちは黙ったまま、手元のグラスを忘れている。

するとミロンだ。

――ほら、まるで首吊ったやつみたいだ。

セーヴルはびくっとした。

——なんだって？　どこでだ？

——なに、冗談だよ——ミロンは遠慮がちになった——ただ、あんたの上着がさ……

セーヴルは注意深く、目が痛くなるほど注意深くながめた。かれの上着、空いた穴を繕った粗末なそれは、セーヴルがかけたままの状態で吊るしてある。

ところがミロンの声だ。

——似てるよなあ、似てるよなあ。

セーヴルは給仕を呼び、酒をもってこさせた。かれはボトルを手元に置くと、大きめのグラスで二杯立て続けに飲んだ。そして一言。

——なあ、あんた、なんであんなこと言ったんだ？

——おれかい？　なんでもないよ。ある考えがさ……

——あんた、なんであんなこと言ったんだ？　セーヴルは歯をきしませた。

——わからない。でも、あれがさ、おれたちのところで一ヶ月前に首をくくって死んだやつのことを思い出させているのかもな。

——えっ？

——そうさ。まだほんとに若かったやつでな、「外国で」長く暮らしたことがあった。家を飛び出したんだ。親父と仲が悪かったんだ。おれたち、おれと妻とが、そいつを下宿させた。一日中詩を書いて、本を山ほど読んで、金は払わずさ。とんだクソったれだろ？　ある日の朝だ、おれたちはあいつが首を吊ってるのを見つけたんだ。あいつはな、八ドル五〇、おれたちに借りがあった。一銭も受け取らないままだ。ちくしょう！　ブタめ！

——それで？　セーヴルは尋ねた。

かれは恐ろしいほど青ざめ、両手はグラスをつかむことができないまま、囲うようにして震えている。

——ああ！　あいつはまるであんたの上着同然だった。あいつはボロ着みたいに宙ぶらりんだ。

そう言ってミロンは安心する。おんなじ、おんなじ、そう彼は繰り返した。

——ありえない。見ひらいた目で自分の上着をじっと見つめながらセーヴルはつぶやいた。

——いや、おんなじ、おんなじ。

——ちがう。ちがう。

——いや。もう一度あれを見てるが。ぜったいにあんな感じだった。

——黙れ、悪魔め。押し殺した声でセーヴルは言った。

——いや言ったとおりだよ。ま・さ・し・く、あんたの上着みたいだ。

——だまれ、悪魔め。セーヴルは繰りかえすが、声が低すぎてミロンにはほとんど聞きとれなかった。

かれは上着から目をはなすことができない。そのまなざしには異常な不安がおどっている。

ミロンはだまった。ショットグラスを何杯か飲み干しながら、舌をくたばらせる。数分が経過した。蓄音機はだまるものの、ひとりの船乗りが、ひとりの女の首に手をまわし、歌っている。

サムバディ・ラヴズ・ミー……(1)

突然、セーヴルが尋ねた。

——なあ、あんた。おれたちはくたばったら、どうなるんだ！　どう考えてる？　死んだあとも、死んだあとも、生はあるのか……もうひとつの生は、どうなんだ？

ミロンはほんの一瞬考えた。

——いや、そう思わない。

——おれもだ。顔をすっかりゆがませながらセーヴルはなんとか言った。

彼はくるしそうに席を立ち、扉に向かった。

——おい！　上着を忘れるんじゃないぞ。

——ちがう、ちがう、セーヴルは叫んで、夜のなかへ逃げ去った。

酩酊（めいてい）状態にもかかわらず、かれは走っている。一匹の犬が、ひと気のない路上でつかの間のあいだ、かれのあとを追った。

かれはもう雨を感じていない。人家も見えていない。自分の影も見えていない。

かれは逃げる。頭のなかで言葉がおどり、耐えがたい苦しみをかきたてる。

——上着、首吊り、上着、首吊り……

歯と歯のあいだからこうつぶやく。

――ちがう、ちがう。おれはもう望んでない。終わりにしなくちゃならない。

ついに自分の家にたどり着いた。木造の粗末なあばら家だ。ただ押すだけで扉はひらいた。

かの女は、寝台で、彼が来る音を聞き、壁ぎわに身を寄せた。

――神さま、神さま、どうか今日はあの人があたしのことをあまり強くたたきませんように。

かの女はたたかれるのを待ったが、たたかれることはなかった。

かれがろうそくの火をつけるのが聞こえ、家具を動かす音が聞こえた。支離滅裂な言葉がかの女にまで届いた。「上着。ま・さ・し・く。ああ！ 悪魔め！ 上着同然」。

椅子が倒れる音がした。それから、もはや何も、かの女を壁にへばりつかせる苦悶（くもん）のほかは何も。

かの女は思った。

――寝たのね。

しかしかの女は慎重を期して待った。どのぐらいたったか？ 接着具合の悪い板と板のすき間から、日の光はまだ射し込んでいない。

ついに、用心に用心をかさねて、かの女はふり向いた。ろうそくの炎で、かの女は宙ぶらりんの死体を目撃した。

かの女は鋭い叫び声をあげた。

隣人たちが駆けつけた。

（1）ジョージ・ガーシュウィン（一八九八～一九三七）作曲の歌。

Jacques Roumain
ジャック・ルーマン（一九〇七〜一九四四）

ジャック・ルーマンは、「世界初の黒人共和国」であるカリブ海のハイチ（一八〇四年独立）の首都ポルトープランスに生まれました。海と山に囲まれたこの都会で、祖父に大統領をもち、両親は大地主という富裕層の子どもとして育ったルーマンは、勉学には最高の環境を与えられました。一三歳から親元を離れスイスの寮で暮らし、一九歳でスペインに居を移し、農学を勉強。勉強をあきらめて帰国するのは一九二七年、二〇歳のときです。スポーツが得意で、スイスではボクシングの大学チャンピオンになる一方、語学の達人で、母語のフランス語は当然のこと、スペイン語とドイツ語を完璧に操り、英語でも本を読みました。

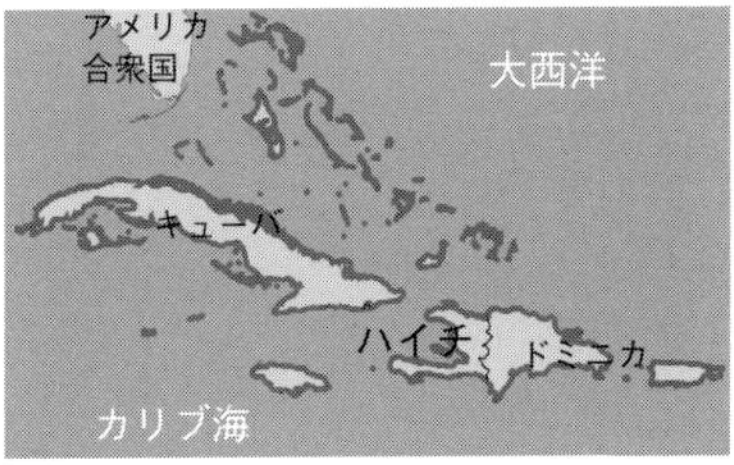

帰国後、ルーマンは文芸雑誌『現地評論――芸術と人生』（一九二七〜二八年、全六号）を仲間と一緒に創刊します。当時のハイチは一九一五年来のアメリカ合衆国による軍事占領下（三四年まで継続）にあり、『現地評論』の刊行はこの占領下のもとでのハイチ人エリートによる文化的抵抗を意味しました。その支柱をなしたのが、ルーマンよりも年長世代の民俗学者・外交官ジャン・プライス＝マルス（一八七六〜一九六九）の仕事でした。プライス＝マルスは『現地評論』の創刊号に「おじさんはこう語った」と題した、ポルトープランスの山間部で語り継がれる、アフリカ伝来の民間伝承を紹介しました。この論考は、アフリ

カ回帰の重要性を説く趣旨であり、西洋志向の強かったハイチ人エリートの価値観を揺るがす契機となりました。ここから、ハイチ人である私たちとは誰か、という知識人の文化的探求が始まります。

ここに紹介する「上着」は、ルーマンによるハイチの文化的アイデンティティ探求の初期に位置付けられる掌編です。定職につかずに気ままに暮らす芸術家を指して「ボヘミアン」と呼ぶことがありますが、酒場に夜な夜な入り浸る主人公のボヘミアンな生活は、この掌編が発表された場でもある『現地評論』の若い書き手たちの実生活と切り離せなかったようです。

『朝露の統治者たち』フランス語原書。表紙に作者ルーマンの写真が使われている。

ルーマンはこの後、ハイチ共産党を設立、民衆作家として活躍します。政治活動のためにニューヨークに亡命したさいには著名な黒人詩人ラングストン・ヒューズと親交をもちました。一九四四年、三七歳（死因不明）で帰らぬ人となるものの、貧しきハイチ農民の再生を主題とした遺作の長編小説『朝露の統治者たち』（未訳）は、ハイチ文学のみならず、アフリカ系文学の古典という不動の名声を得て、世界中で読まれ続けています。

（中村隆）

【サスペンス】

サスペンス（suspense）は文学・映画等のストーリー展開において読者や観客に不安感・危機感を与える手法を指します。本来は「宙吊り状態」を指し、そこから未決定の状態に置かれるという読者や観客の心理も示すようになりました。この手法は推理小説によく用いられます。推理小説は「不可解なもの」を指すミステリー（mystery）を原義とするように、力点は謎を解明するというストーリーの構造にあります。これに対し、サスペンスはストーリー展開に働く作用ないし効果です。たとえば、それまであなたと話していた人が突然苦しみだし、死んでしまったとしましょう。どうしてその人が死んだのかという謎を解くのがミステリーです。一方、その会話の直前に、即効性の毒入りコーヒーをあなたが相手に飲ませていたとしましょう。その場合、その数分間はあなたにとってサスペンスになります。

本作はサスペンスを明らかな主題のひとつにしています。主要人物セーヴルはストーリー展開をつうじて言い知れぬ激しい不安を募らせるものの、その謎は最後まで明かされません。私たち読者に与えられるのは表題にある「上着」の強烈なイメージではないでしょうか。壁に掛けられた上着を首吊りした人間にたとえる、というある種の悪魔的イメージを呑んだくれのミロンに吹き込まれ、セーヴルはこのイメージに取り憑かれるわけですが、本作の結末を導くのは、謎の合理的解明というよりも、サスペンス＝宙吊りの絶え間ないイメージ連鎖です。

とはいえ作者はなぜ上着をサスペンスのメタファーとしたのでしょうか。若者が首をくくるエピソードや、あの世をめぐる会話など、不思議な挿話が気にかかります。

（中村隆）

【酒】

古くから文学は酒とともにありました。唐代の詩人于武陵は、友人との別れに杯を差し出して、「人生足別離」と吟じています。「サヨナラ」ダケガ人生ダ（井伏鱒二訳）。生きることの苦痛に向きあう人びとは、ときに酒に力をもらい、ときに憂いを深めます。

酒は、また、風土に根ざす産物です。古代ギリシアの叙事詩によると、一つ眼の巨人に囚われたオデュッセウスは巨人にぶどう酒を与えて酔い潰し、活路を見出しました。ナイジェリアの作家エイモス・チュツオーラの『やし酒飲み』は、やし酒を愛する主人公が、死んでしまった酒造りの名人を探して、奇想天外な旅をする物語です。敵を前にうっかり酩酊したり、死者を訪ねるほどの美酒とは、どんな味なのでしょうか。

「上着」でリキュールの種類は明示されませんが、ハイチというと、ラム酒が思い浮かびます。大航海時代以降、ヨーロッパの国々に占領されたカリブ海の島々では、奴隷を労働力とする砂糖プランテーションが経営されました。サトウキビを原材料とするラム酒が製造されるのもこのときのこと。主人公が飲み干す酒には、苦しみの歴史が込められています。

ビール、ジン、ウォッカ。さまざまな酒に隠された物語を探してみるのはいかがでしょうか。

（奥）

エイモス・チュツオーラ
『やし酒飲み』
土屋哲訳
岩波文庫

密林の紳士たち

ジョモ・ケニヤッタ
［訳］浦野郁

昔むかし、一頭のゾウが人間と友達になった。あるとき激しい雷雨があったので、ゾウは森の外れの小屋に住む人間のところに行き、「ねえ君、この猛烈な雨で濡れないよう、僕の鼻を小屋に入れさせてはもらえないだろうか?」と言った。人間はゾウの置かれた状況を見て、「やあゾウくん、僕の小屋はすごく狭いけれど、君の鼻と僕が一緒にいられるくらいのスペースはある。ゆっくり鼻をお入れよ」とこたえた。ゾウは人間に感謝し、「君は僕に親切にしてくれた。いつか君に恩返しをするよ」と言った。ところが、それからどうなっただろう? ゾウは鼻を小屋に入れたかと思うと、徐々に頭を小屋の中に押しこんで、しまいには人間を雨の中に放りだし、小屋の中に気持ちよさそうに寝そべって言うのだ、「ねえ、君の皮膚は僕のより硬いだろう。二人がいられる十分なスペースがないのだから、僕のデリケートな肌を嵐から守るために、君は雨の中にいても大丈夫だよね。」

人間は、友達のゾウがしたことに不平を言いはじめた。それを聞いて何事が起ったのかと、近くの森にいた動物たちがやってきた。皆まわりに集まって、人間とゾウの激論を聞いている。この騒ぎの中、ライオンがうなり声を上げながらやってきて、大声で言った。「皆の者、われは密林の王ライオンである！　よくもわが王国の平和を乱してくれたものだ。」これを聞いて、密林王国の重臣の一人でもあるゾウは、猫なで声で言った。「陛下、王国の平和に乱れはありません。この小屋には、ご覧のとおり私が居住しているのですが、その所有権を巡って友人とちょっと口論になっただけなのです。」これを聞いて、自分の王国に「平和と平穏」を望むライオンは、おごそかな声でいった。「わが重臣たちよ、調査委員会を開いてこの件を徹底的に調べ、しかるべき報告をせよ。」そして人間の方を向くと、「そなたはわが臣民たち、中でもわが王国の栄えある重臣のゾウと親交を結ぶことあっぱれであった。不平を言うのは止めよ、そなたの小屋がなくなった訳ではない。わが帝国調査委員会の開催を待つがよい。そこではそなたにも十分に申し立ての機会が与えられるであろう。委員会の出す結論には必ずや満足することと思う」と言った。

人間は密林の王の甘い言葉にすっかり気を良くして、小屋はきっと自分の手に戻るに違いないと信じ、その機会を素直に待った。

さてゾウは王の命令に従い、調査委員会設置のため他の重臣たちと忙しく協議した。そして委員会は以下の通り、森の長老たちで構成されることになった――（一）サイ氏、（二）バッファロー氏、（三）ワニ氏、（四）議長としていとやんごとなきキツネ氏、（五）書記官としてヒョウ氏。この顔ぶれを見た人間は、彼の側からも誰か委員として選出されるべきではないのか、と抗議した。しかし複雑な密林の掟（おきて）を理解できるほどに教養ある人間はいないという理由で、無理だといわれた。さらに、委員会メンバーの誰もが公明正大で知られ、歯牙（しが）を備えぬ種族の利益を守るために神によって選ばれた紳士たちなのだから、調査は細心の注意を払って行われ、公平な報告がもたらされるので安心せよ、とのことだった。

委員会は証人喚問を行った。いとやんごとなきゾウ氏が最初に呼ばれた。彼は奥方が持たせた若木で牙を撫（な）でつけながら尊大な様子で現れ、おごそかに言った。「密林の紳士たちよ、誰もが知っている話で諸君の貴重な時間を無駄にすることはすまい。私はいつでも友人の利益を守ることを義務と心得てきた。それが私とここにいる友人の間に誤解を招いてしまったようだ。彼は小屋が嵐で吹き飛ばされないようにと、私を招いたのだ。空きスペースがあるせいで小屋の中に嵐が入り込んできたので、私は友人のためを思い、この未開のスペースをより有効に使えるようそこに座すべきだと考えたのだ。似たような状況下では、間違いなく諸君の誰もが進んで果たさんとする義務ではないだろうか。」

いとやんごとなきゾウ氏の断固とした証言を聴いた後、委員会はハイエナ氏その他の密林の長老たちを召喚したが、誰もがゾウ氏の言うことを支持した。次に人間が呼ばれ、自分の立場から証言しようとした。しかし委員会は彼の話を途中でさえぎり、こう言った。「人間よ、関係のないことを話すのは控えてもらいたい。その時の状況については、すでに公平な筋から色々と聞いているのだ。われわれが知りたいのは、貴殿の小屋にある未開のスペースは、ゾウ氏の前に誰か別の者によって占有されていたか否か、これに尽きる。」人間は「いいえ、しかし……」と言いかけた。だがこれを聞いた途端、委員会は両サイドから十分な証言を得たと宣言し、評議のために退席した。いとやんごとなきゾウ氏のおごりで結構な食事をとった後、彼らは評決を下し、人間を呼んで次のように申し渡した。「われわれの見たところ、この論争は貴殿の旧弊な物の考え方に由来する、なげかわしい誤解から生じたものである。われわれは、ゾウ氏が貴殿の利益を守るという神聖な義務を果たしたと考える。空きスペースを最も有効な方法で活用することは明らかに貴殿のためになり、貴殿自身がそのスペースを利用できるよう拡張を行っていないのだから、我々は両者にそぐう妥協策を講じてしかるべき、と考える。ゾウ氏は引き続き貴殿の小屋を占有する。しかしわれわれは貴殿が、より貴殿の意にかなう小屋を建てるための用地を探すことを許可する。貴殿の身の安全はわれわれが保証しよう。」

人間は他に選択肢もなく、拒絶すれば委員会メンバーの歯牙にかかることを恐れたため、この提案通りにした。しかし新しい小屋を建てるや否や、サイ氏が角を振り立て突進してきて、人間に出ていくよう命じた。調査のために再び帝国委員会が招集され、同様の決定がもたらされた。同じことは、バッファロー氏、ヒョウ氏、ハイエナ氏、その他の全員が新しい小屋に収容されるまで繰り返された。そこで人間は小屋を守るために何か有効な手段を講じようと決めた。調査委員会は何の役にも立たないからである。彼は座りこむと、「ングエンダ・デ・ンディアガガ・モテギ」[1]と言った。直訳すれば「地を踏む者で罠にかけられぬ者はない」という意味だが、つまるところは、いまに見ていろ、というわけだ。

ある朝早く、密林の紳士たちが住む小屋が朽ちて崩れ落ちてきたころを見計らって、人間は出かけていき、少し離れたところにもっと大きくて立派な小屋を建てた。それを見た途端にサイ氏が突進してきたが、小屋にはすでにゾウ氏がおり、ぐっすり眠っていた。次にヒョウ氏が窓のところにやってきて、ライオン氏、キツネ氏、バッファロー氏は戸口から入りこみ、ハイエナ氏は物陰でもの欲しそうにうなり、屋根の上ではワニ氏が日を浴びていた。やがて彼らは小屋への侵入権をめぐって言い争いをはじめ、口論は戦いになり、全員を巻き込んでの大乱闘を繰り広げている間に、人間は小屋に火を放ち、小屋も、密林の紳士たちも、何もかもすべて焼き払ってしまった。人間は「平和とは高くつくものだ、だがその価値はある」と言って引き上げていった。そしてその後、末永く幸せに暮らした。

（1）ここで人間が口にするのは、作者ケニヤッタの出自であるキクユ人が使用する言語、キクユ語である。

Jomo Kenyatta
ジョモ・ケニヤッタ（一八九四〜一九七八）

インターネットで「ジョモ・ケニヤッタ」と検索すると、ケニアの初代首相および大統領、という語が目に飛び込んできて驚く人もいるかもしれません。そう、ケニヤッタは作家としてよりもまず政治家として、ケニア建国の父として知られる人物です。

ケニヤッタは一九世紀末、イギリスに植民地支配されていた東アフリカでキクユ人として生まれます。この時の名はカマウ・ンゲンギといいました。一〇歳の時に感染症にかかり、白人入植地で手術を受け助かったことがきっかけでヨーロッパ文化に関心を持ち、英語や聖書を熱心に学び始めます。やがてナイロビに移り家庭を持ちますが、一九二〇年代以降は高まり始めた民族運動に身を投じていきます。この時に焦点となったのは白人入植者が取り上げた土地を取り戻すことで、一九二九年にはキクユ人を代表して証言するためイギリスに渡り、三年後ようやく土地調査委員会で証言の機会を得ます。ところが委員会が出した結論は、土地を賠償するが返却はしないという、到底納得のいかないものでした。この時の経験が、「密林の紳士たち」で狡猾な動物から小屋を取り戻そうと悪戦苦闘する人間の物語になっていることは明らかです。ケニヤッタはその後もロ

ジョモ・ケニヤッタ
1966年撮影

ンドンに留まり、大学で人類学を学びます。キクユ人の伝統を取り上げた学位論文が一九三八年に*Facing Mount Kenya*(『ケニヤ山のふもと』、野間寛二郎訳、理論社、一九六二年。現在は絶版)として出版されており、「密林の紳士たち」は元々この本に収録されていた物語です。また、この頃に改名しジョモ・ケニヤッタと名乗り始めました。

第二次世界大戦後の一九四六年、ケニヤッタは故国に戻り政治活動を続けますが、やがて植民地政府に対する大規模な暴動「マウマウ」を先導した疑いで投獄されてしまいます(本人は一貫して容疑を否認)。しかしケニアは一九六三年に独立を達成し、刑期を終えたケニヤッタは首相、次には大統領に選ばれ、現在では独裁的、強権的と評されることもある強力なリーダーシップで独立後の祖国の舵取りをしました。

ケニヤッタの著作は全て彼の政治活動と深く関わっていますが、自らのルーツであるキクユ人の使う言葉、キクユ語で書いたものは初期のごく一部に過ぎません。植民地支配の現状やキクユ人の伝統について、多くの人々に知ってもらうには植民者側の言語である英語で書かざるを得ない、というジレンマがあるのです。このことを考えると、「密林の紳士たち」のラスト近くで人間が発する言葉だけがキクユ語で書かれていることにも、深い意味があると言えそうです。

(浦野)

ジョモ・ケニヤッタ
『ケニヤ山のふもと』
野間寛二郎訳
理論社

【非リアリズム】

リアリズムは英語ではrealism、「写実主義」と呼ばれることもある芸術上の手法で、その特徴を簡単に言えば、「現実を写し出すように、リアルに描かれている」ということになります。したがって、ある作品がリアリズムの作品かどうかは、そこに描かれていることが「現実にありそうかどうか」を考えてみることで判断できます。

「密林の紳士たち」はリアリズムの作品でしょうか？ ジャングルの動物たちが口を利き人間のように振舞うことは、現実にはありえませんね。そこで形式的には「非リアリズム」の作品ということになります。動物を擬人化し、何らかの教訓を伝える寓話は昔から世界中に存在しますが（イソップ物語や日本の民話を考えてみるとすぐに分かります）、「密林の紳士たち」もこの形をとっています。では非リアリズムの作品であるこの短編が「現実を写し出していない」かというと……どうでしょうか。解説で述べたように、この作品は植民地支配の状況を如実に語っているのです。

ジョージ・オーウェル
『動物農場』
高畠文夫訳
角川文庫

動物を擬人化し、寓話風に政治状況を諷刺した作品として、他にジョージ・オーウェルの『動物農場』（一九四五年）も有名です。現実をあえて非リアリズムの手法で描くことにはどのような意図や効果があるのでしょうか。是非考えてみてほしい問題です。

（浦野）

【植民地主義】

植民地主義とは、ある国が自国以外に領土を広げ、その土地を政治的・経済的に支配する政策のことです。大航海時代と呼ばれる一五世紀以降、ヨーロッパの列強国が「未開の地を文明化する」という大義名分のもとに、アフリカ・アジア・アメリカ大陸を次々と植民地化していきます。中でもイギリスは最大の植民地を有し、「イギリス帝国」を自称して世界最強国に上り詰めました。しかし二〇世紀に入ると、植民化された国々では白人支配に抵抗する運動が活発化し、第二次世界大戦後に次々と独立していきます。ケニヤッタも、他者の持ち物を勝手に取り上げておきながら、もっともらしい理屈をつけてその行為を正当化する「密林の紳士たち」を通じて、現地の人々を虐げる白人たちを批判しているのです。作品のラストは植民地支配の行く末を暗示していると言えるでしょう。

イギリス最大の植民地であったインドを舞台に、動物と人間の交流を描いた『ジャングル・ブック』（一八九四年）という小説がありますが、こちらの作者ラドヤード・キプリングはイギリス側の人間です。このことは、作中の人間と動物の関係にどのような違いをもたらしているでしょうか。「密林の紳士たち」と読み比べてみると、植民地主義と文学の関係について何か新たに見えてくるかもしれません。

（浦野）

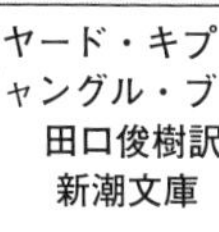

ラドヤード・キプリング
『ジャングル・ブック』
田口俊樹訳
新潮文庫

サン・クリストバルの自転車乗り

アントニオ・スカルメタ
［訳］山辺弦

……わたしはこれほど、これほどまでに落ち、
されば こそこれほど、これほどに高く昇った
されば こそ、追い求めたあの方に届いたのだ……
十字架の聖ヨハネ

それにその日は、オレの誕生日でもあったんだ。アラメダ通りのバルコニーからは、新聞でもちきりになってた例のロシアのスプートニクがのんびり空を横切ってるのが見えたけど、オレ

自身はそれどころじゃなかった、ていうのも次の日は今季初の昇格レースだったし、そのうえ病気の母親が、クローゼットよりも狭いくらいの部屋で寝込んでたからだ。オレがやれることといったら、床に首倒立しての空中自転車こぎくらいだった、そうすれば筋肉ががっちり鍛えられ、『競技人』の記事にもとりあげられたオレの走法で、明日ペダルを踏み込めるはずだった。母ちゃんは熱に浮かされつづけてて、オレはといえば今度は廊下をうろうろしだし、マルガリータおばさんがプレゼントにくれたパンケーキをちまちま齧(かじ)っては、砂糖漬けのフルーツのかけらを舌の先で念入りにほじくり出し、わきのゴミ入れに吐き出してた。親父は時々現れてポンチェ酒の味をみてたけど、毎回五分間もかきまぜながら、ため息をついては鳥が獲物をつつくように指で桃をつついてた、そしてその桃はまるで漂流中の人間みたいに、安い白ワインとピスコとオレンジ果汁とミネラルウォーターを混ぜたものの中に浮かんでいた。

オレたち二人には、夜を早く過ぎさせ、大至急朝を連れてくるような何かが必要だった。オレは練習を中断して靴を磨くことにし、親父はたぶん、万一のときには救急車を呼ばなきゃなとかなんとか、あれこれ考えつづけてた、空は雲ひとつなく、夜は蒸し暑く、母ちゃんが夢うつつに「体が焼ける」と繰り返す声は、開いたドアの隙間から、かすかながらオレたちの耳に届いてきた。

でも本当に手のつけられない夜だった。手だろうが足だろうがつける隙など一時たりともなかった。夜空の星の一つひとつを眺めてみたところで、まるで砂漠でサボテンを数えてるのと同じ気持ちになるだけ、血が出るまで自分の肌に噛みついたり、ドストエフスキーの小説を読んだりするのと同じ気持ちになるだけだった。だから父ちゃんは何度も部屋に入っていっては、母ちゃんの耳にありそうもないでたらめを吹き込んでた、注射を打てば熱が下がるさとか、もうすぐ夜が明けるぞとか、医者は朝早くに来てくれるはずだよ、そのあとカルタヘナに釣りにいかなきゃならんからな、とか。

しまいにゃオレたちは夜の闇に対してさえでたらめをでっちあげた。深夜の空にミルク色の何かが見えたのをいいことに、それを夜明けの光と思いこもうとしたんだ（もうちょっとテンパってたら、街のど真ん中だってのにおんどりがコケコッコーって鳴く声すら聞こえてきただろう）。朝食を用意しに台所に入ってったのは、三時から四時のあいだだったろうか。まるで申し合わせたように、甲高いヤカンの音と母親の叫び声がどちらもどんどん大きくなっていった。父ちゃんが戸口のところへやってきた。

「入る気もわかんな」父ちゃんが言った。

太ってて、顔は青く、シャツはまさに汗が滴る(したた)って感じだった。《お医者さんは来ないの》という母ちゃんの声が聞こえてきた。

「夜が明けたら一番に来るってよ」親父がそう言うのは五回目だった。

吹き上がる湯気の上でヤカンの蓋(ふた)がかたかた跳ね始めているのに、オレは目を奪われていた。

「母ちゃんは死ぬ」オレは言った。

父ちゃんは体中のポケットをまさぐりだした。タバコを吸いたいんだ。こうなるとタバコを見つけんのにすげえ時間がかかって、そんで今度はマッチでおんなじ羽目になる、だからオレがガスの火でつけてやんなきゃなんないんだろうな。

「そう思うか？」

オレはくっと眉をもちあげ、ため息をついた。

「タバコつけるから貸して」

火に顔を近づけたとき、オレはいつものように鼻が焼けてひりひりしないことに気づいて、あれっと思った。そのまま振り向きもせずに、タバコを父に差し出し、ちろっと出ている火の束の上にわざと自分の小指を置いた。さっぱり何も感じなかった。《この指が死んじまったみたいなことかな》、そうオレは思った、だけど指一本だけ死ぬなんて、ちょっと笑けてくる話だよな、だからオレは手を開き、今度は指の腹で、ガスコンロのノズルと、そこに開いている穴を残らず触りながら、火を根元からこねくり回してみた。父ちゃんは廊下を端から端まで行ったり来たりしながら、灰をごっそり服の胸元に落とし、口ひげをタバコカスだらけにするのに余念がなかった。今のうちにもっと試してやろうと思って、手首をあぶり、それからひじを、さらにはもう一度ぜんぶの指をあぶった。オレはガスを消して、乾いた感じがする両手に軽くツバを吐き、古いパンのはいったかごと、マーマレードの瓶、おろしたてのバターの箱をダイニングに持ってった。

父ちゃんが食卓に座ったとき、オレが涙でも流してたらよかったんだろう。父ちゃんは、まるでこの惑星中のあきらめがそこに凝縮されてるみたいに、首をひん曲げて苦いコーヒーの中に視線を沈ませた、それから何か言ったけど、オレには聞こえなかった、というより父ちゃんは何か自分の奥にあるもの、たとえば腎臓とか、大腿骨とかと、ああでもないこうでもないと会話しているみたいだったんだ。それからはだけたシャツに手を突っ込んで、胸でこんがらがってる毛の塊を掻きむしった。机の上には、少し傷んだプラムやアンズや桃のかごが置いてあった。ほんの一瞬、その果物たちがゆりかごであやされてる汚れのない子どもに思え、オレはそっぽを向いて、そこに映画のシーンか何かが流れてんのかってくらい壁を見つめていた。とうとうオレはアンズをひとつ掴んで、まあまあピカピカになるまで服で磨いた。親父はプラムを手に取ったけど、それはただオレのが感染っただけだった。

「あいつは死んじまうな」父ちゃんは言った。

オレは首をぐっと掴んだ。火傷しなかった事実がいま頭の中をぐるぐる回っていた。オレのべロは口の中の果物を種だけになるまで舐めつづけ、手はパンくずを机に押し潰しだすや、それをまとめていくつも塊をつくっていき、そのあと人差し指でカップとパンかごのあいだを狙って弾いていた。オレは桃の種をほっぺたの内側にくっつけながら、奥歯のところに飼いブタがいて、そいつがお利口さん面で待ってるところを想像してたんだけど、その瞬間、どうして自分が、言ってみりゃ耐火性になっちまったのか、その意味がわかったような気がした。うまくいえないけど、タゲリが甲高く鳴きながら飛んできたら雨になるって予測できる、それと同じ確かさを感じた。つまり、もし母ちゃんが死んでしまうんなら、オレもこの地球上から出ていかなくちゃなんないってことなんだ。火の一件は、ホラー映画の予告編みたいなもんなんだ、それともただ単にそれはオレのたわごとで、映画館なんかに通うようになったせいで、おかしくなったってだけなのかもしれないけど。

父ちゃんのほうを見て、そのことを言おうとしたとき、父ちゃんはでっぷり太った両手のひらを目の前に組み、そのすきまに何一つとして入り込めないくらい強く握りしめた。

「死なないよ」オレは言った。「熱があるときは怖くなるもんさ」

「体の防御反応ってやつだ」

オレは咳払いした。

「オレがレースに勝てば金が入る。母ちゃんも悪くない病院に入れてやれるよ」

「死ななきゃの話だがな」

オレは振り向いて、転がしすぎてツルツルになった種を吐き出した。親父は気休めに、まだ見た目がましな桃にかぶりついた。母ちゃんが部屋で、今度は何も言わずにうめいてるのが聞こえた。オレはたった三口でコーヒーを飲み干し、口の中はヒリついたけど、それがかえって力がわいてきそうな感じがした。ポケットにパンを放り込み、立ち上がると、パンくずの塊はさながらワインの池に涼みにいくんだとばかりに転がったけど、池が涼しげなのは見かけだけ、というのも母ちゃんが寝込んでからというもの、テーブルクロスについた染みは一カ月はそのままになって、どうにかしてくれませんかねと小声で頼んでるみたいだったからだ。

出て行くときオレは、ちょっとアメリカっぽくっていうか、軽い感じを装った。

「じゃ行く」

父ちゃんは答えるかわりに、首をねじって夜を見定めた。

「レースは何時からだ?」コーヒーをちびりとすすりながら父ちゃんが聞いた。

オレは自分がブタ野郎みたいに思えた、といってもマンガに出てくるような、間抜けで憎めないようなタイプの奴じゃないけど。

「九時。ちょっとウォーミングアップするから」

オレはポケットからクリップを出して裾の折り返しを留め、道具入れのバッグをぱっとつかんだ。そうしながら鼻歌で歌っていたのはビートルズのレコード、あのサイケデリック系のやつだ。

「少し寝たほうがいいんじゃないのか」父ちゃんが勧めてきた。「だってもうふた晩も……」

「調子はいいよ」ドアに向かいながらオレは言った。

「そうか、じゃあ」

「コーヒー冷めちまうよ」

オレはドアを、女の子とキスするみたいにそっと閉め、手すりに繋いでおいた自転車の南京(なんきん)

錠を外した。自転車をわきに抱きかかえ、エレベーターが来るのを待たずに四階ぶんを一息に駆け下りて通りに出た。どっちのほうに行くんだっけと、しばらくそこでぼんやりタイヤを撫でてたけど、そのあいだにも早朝の少し冷たく、ゆったりした風が、いまは確かに感じられた。

自転車に乗り、最初のひと漕ぎで側溝を滑り出し、それからはアラメダ通りの脇道をブルネス広場まで行き、公園の噴水に一回りかまし、すぐさま左に曲がり「ネグロ・トバル」ナイトクラブまで行って、そこの日よけに陣取り、地下から聞こえてくる音楽に耳を澄ませた。ムカつくのはタバコ吸っちゃいけないってこと、オレたちがコーチにしこたま叩き込まれた、アスリートはかくあるべきってイメージを壊しちゃダメってことだ。めっちゃタバコ吸って行ったときは、ベロの匂いを嗅がれて、外れろ、てなもんだったからな。でもそれより何より、明け方のサンティアゴにいるオレは、自分がよそものみたいな感じがした。たぶん、サンティアゴ中で母親が死にかけてる子供なんてオレだけだったかもしれない、銀河一どうしようもないまぬけで、パーティーのない土曜の夜が楽しくなるような女の子もゲットしたためしのない奴、悲しい話を聞けば涙が出てたような、文句なくピカイチの、ケダモノ同然の単細胞。するとそのとき突然、カルテットのメロディーが聞こえてきて、ルチョ・アランギスのトランペットがちょうど、《きみにあげられるのは愛だけ、それだけしかあげられない》ってとこを吹いてた、そしたらカップルが二人、うちの学校の問題児が通りにぶちまけた灰みたいにしーんとしながら、日よけの前を通り過ぎたんだ、んでもって角の水道のせせらぎには、何か陰鬱で頭から離れないものがあって、そんで水飲み場の上を通る牛乳配達のぼろ馬車ときたら、馬は凛々しいのにのろのろ進み、まるで銀メッキの海から出てきたような風情だった、風はタバコの包み紙や、アイスキャンディーの棒やらを運んできたし、打楽器奏者は端がほどけた長ひもみたいに、あのメロディーをひきずってた――シャッ、シャッ、ダッ、ダッ――、地下から出てきた酔っ払いの兄ちゃんは、鼻をこすり、汗をかき、泳いでいる目を煙で真っ赤にして、ネクタイの結び目はへんてこな位置にあり、髪はこめかみに片寄ってた、楽団がやりはじめたタンゴはといえば、「ソフィスティケーティッド」な、変わり映えのしないやつ、いつもと同じ、人はみな希望に満ちて追い求めるって歌詞のやつだ、そしてブルネス通りの建物のほうは、いまにも事切れて倒れてきそう、もしそうなったら風はますますぐちゃぐちゃに吹き荒れて、船を浮きに変身させ、足場の石を帆かけ船に変え、最新式の暖房機を酒樽に変えちまうことだろう、あらゆるドアをカモメに変え、公園は泡と化し、ラジオやアイロンは魚に変わるだろう、恋人たちのベッドは火で燃え上がり、華やかなドレスやパンツやブレスレットは蟹や貝やイカや砂粒になっちまうだろう、そしてその嵐は一人ひとりの顔にみあった何かを与えるんだ、老人には仮面を、高校生にはひきつった爆笑を、うら若い乙女には甘ったるい花粉を、すべてのものが砂煙に引き倒され、すべてのものがいろんな惑星に叩きつけられ、死んでスカスカになっちまう、そんな中でオレは、母ちゃん死ぬなよと口にし、「ルーシー・イン・ザ・スカイ・ウィズ・ダイヤモンズ」を歌いながら自転車で嵐を漕いでいて、あそこの役立たずの警官たちは風にまたがりながら、いもしない子馬をムチで叩いてるけど、今度はそいつらのことを、凧みたいに舞い上がった公園やら銅像やらがムチで打つ、そんでオレは最近国語のクラスで習った詩を暗唱してる、っていっても半分いやいや受けた授業で、アギレラのノートにやらしい落書きをしたり、コフマンの弁当をパクったり、ひょろひょろレイバのケツに鉛筆を突き刺したりしながらだったけどさ、とにかくオレは詩を暗唱してる、あの兄ちゃんはといえば、甘い時間を惜しみながら恋人のベッドを離れる男みたいにのろのろとベルトを締めて、突然いいかげんな歌を歌い出した、歌詞も気にせず、まるで歌なんてどれも晴れる前のにわか雨みたいなもんだとでも言わんばかり、んでそれが終わるとふらふらと階段を降りた、ルチート・アランギスは「人はみな」のトランペットソロに入って兄ちゃんを急かしはじめ、すべてはジャズになった、オレは思ってた、口の中とか喉を冷やし、腹と肝臓とのあいだの猛烈な熱を冷やすために、いっちょ朝の空気を吸いにいくかって、でもそうしようとしたとき、オレは思いっきりごつんと音を立てて、壁に頭をぶつけちまったんだ、くらくらしながら、ズボンのポケットを探ってタバコの箱を取り出し、欲望のまま、むさぼるようにタバコを吸った、そのあいだも体は壁をずり落ちていき、石畳の地面についたところで、オレは両手を組み、一心不乱に眠りについた。

太鼓や打楽器やラッパの音でオレは目が覚めた、仰々しい何かの団体が、サンティアゴの井戸みたいな噴水の周りを回って、戦争のない世界へと行進してたけど、その派手さときたらパーティーさながらだった。チャリに乗ってほんの少し走ってみるともうそこでは、アイス屋や、ミサ狂いの婆さんたちや、ピーナッツ売りや、流行りのシャツとブーツを身につけた、髭も生えてないお子様たちが生気を取り戻している光景を拝むことができた。聖フランシスコ教会の時計が今回ばかりは遅れちゃいないっていうんなら、サン・クリストバルの丘のふもとのスタート地点に着くのに、ちょうど七分間残されていた。体中に痙攣がきてたけど、ゴムペダルを踏む正確さは失くしてなかった。その上、東にはお天道さんがかんかんに照っていたし、道にはほとんど人がいなかった。

ピオ・ノノ橋を渡るとにぎやかになってきた。丘のふもとでアップしながら待っている選手たちが、からかうように横目で見てきたのがわかった。アウダックスのロペスが鼻をかみ、グリーンのフェルートがタイヤに空気を入れてるのが、そしてうちのチームの連中が、我らがコーチの指示に耳を傾けてるのが見えた。

みんなに合流すると、咎めるような目を向けられたが、面と向かって吊し上げられることはなかった。それならいっそのこと、ワガママ放題言ってやることにした。

「電話をかけてくる時間ありますか？」オレは言った。

コーチは控え室を指差した。

「着替えてこい」

オレは自転車を用具係に渡した。

「緊急なんです」とオレは説明した。「家に電話しなくちゃ」

「なんでだ?」

だけど事情を説明するその前に、オレは自分が向かいのソーダバーにいるところを思い描いた、動物園がお似合いのガキんちょや青ざめた酔っ払いに囲まれながら、家の番号にかけて父親に聞こうとする――でも一体何を?　「おふくろ死んだ?」ってか?　「医者はもう来た」?　「母ちゃんはどう」?

「なんでもないです」オレはそう答えた。「着替えてきます」

テントにもぐりこみ、腹を決めて服を脱いでいった。真っ裸になると、最初に太ももを、次にふくらはぎを、そしてかかとを順に爪で掻きむしっていった、すると体が次第に目覚めてくるのが感じられた。細心の注意を払いつつ、ゴムバンドで腹を締めつけ、ざくろ色の爪の跡をぜんぶ、毛織のストッキングで覆った。パンツを調整し、ゴム留めにシャツを押し込みながら、オレには自分が優勝するってことがわかった。徹夜明けで、喉はガラガラ、ベロは苦く、脚はラバみたいにカチカチになっているオレが、このレースに勝つ。オレは勝つんだ、コーチにも勝つ、ロペスにも、フェルートにも、自分のチームメイトにも、父親にも、学校の同級生や先生たちにも、自分の骨にも、この頭、この腹にも、荒れた生活にも、オレの死そして母親の死にも、共和国大統領にも、ロシアとアメリカにも、蜂たちにも、魚たちにも、鳥たちにも、花たちの花粉にも勝つ、この銀河全体に勝つんだ。

オレは包帯を引き伸ばして、両足の甲と裏、くるぶしを二重巻きに締めてった。縛りあげると両足はまるでげんこつみたいになり、ただ肉をのぞかせている一〇本の指だけを、挑みかかるかのように曲げ伸ばすことができた。

テントを出た。《オレはケダモノだ》、と、審判がピストルを上げたときオレはそう考えた、《オレの両足には爪もひづめもある、オレはこのレースに勝つ》。ピストルが聞こえ、切れ味鋭く二度ペダルを蹴り出すと、たちまち最初の坂でトップを取った。傾斜がゆるくなるとすぐに、ゆっくりと溶けていくような日差しを、首の後ろで受けた。大きく振り向いてみなくても、フェロビアリオのピサルニクが後ろにぴったりついてるのがわかった。こいつのことが哀れになった、こいつのチームのことも、「もし先に行かれたら、できるだけ踏ん張って奴にぴったりついていけ、冷静に、頭を使えよ、わかったな?」と伝えていたコーチのこともだ、だってオレがその気になれば、いまここでこいつが五分もしないうちにゲロっちまう速さにしてやることだってできる、肺は掻き乱され、こっぴどくやられて、気持ちが折れちまうんだ。最初のカーブで太陽が隠れ、オレは頭をあげて丘の上のマリア像を見た、それはうっとりするほど遠い存在で、けっして汚(けが)れることなどなさそうに見えた。オレは頭脳プレーに出ることにし、にわかにペダルのリズムを弱めて、ピサルニクを先に行かせようとした。でもこいつときたらサドルの上の聖者さまなのか、なんとオレと肩を並べてスピードをゆるめやがったんだ、するとスタード・フランセの金髪の奴が、ぐいっと抜け出して先頭を取った。オレは首を左に向けて、ピサルニクに笑いかけた。「誰?」オレは言った。奴は視線を返さなかった。「何が?」あえぎながら奴が言った。「あれ誰だ？」もう一度繰り返した。「先に行ったあいつだよ」もう数メートルも離されてることに、奴は気づいてないみたいだった。「知らねえ」奴は言った。「車種は何だったか見えたか？」「レニャーノだ」そうオレは答えた。「どう思う？」でも今度は答えがなかった。そう、奴が思ってることってのはただ、もうオレはトップじゃなくなったんだから、新たな先頭にくっついてくべきなんじゃないかってことなんだ。どうするかオレに聞いてりゃ、忠告してやったのに、残念ながらこの聖人の耳は一チャンネルしか通信できないらしかった。もういっちょキツい坂が来りゃ、それでオレはお先に失礼ってなもんだ。奴は漕ぎに漕いで、金髪に接近し、金髪のほうはもうだめだって感じで振り返って距離を測っていた。オレは誰か他のレーサーと話そうとして周りを見回したけど、オレは一人だった、先頭の二人からは二〇メートルほど離れ、他の選手たちはまだカーブに顔をだしたばかりだった。オレはドキドキと打ちまくる心臓を指で押さえ、真ん中に置いた片方の手だけでハンドルを操作し始めた。どうして突然こんなふうに一人になっちまったんだ？　あの金髪とピサルニクはどこ行った？　ゴンサレスは、うちのクラブの仲間は、アウダックス・イタリアーノの奴らは？　なんで息が苦しくなり始めたんだ、どうしてサンティアゴの家中の屋根に、押し潰されそうな宇宙がのしかかってんだ？　なんだって汗がまつげに当たって目に入り込み、何もかも霞(かす)ませちまうんだ？　オレのこの心臓は、こんなに強く脈打ってるけど、それは両脚に血を通わせるためでも、耳を燃え上がらせるためでも、サドルの上のケツをもっとカチコチにし、踏み込みをもっと強くするためでもなかった。オレのこの心臓は、オレを裏切ろうとしてるんだ、この急勾配にそっぽを向いて、鼻血を噴き出させ、目を曇らせ、動脈をメタメタにし、横隔膜をひっくり返しちまおうとしてる、そして完膚無きまでに、オレのこの体が縄で縛られたみたいになり、まるで錨みたいになっちまってることを、オレが神様に見放され、降参せざるを得ないことを認めさせようとしてるんだ。

「ピサルニク！」オレは叫んだ。「ちくしょう、死んじまうって！」

けどオレの言葉は、こめかみのあいだ、上の歯と下の歯のあいだ、唾液と頸動脈のあいだで波打つだけだった。言葉は完全に、体の中で環を閉じてしまっていた。オレはたった一度だって何かを言ったことなんかなかったんだ。オレはこの地上の誰とも、会話を交わしたことなんかなかった。いつもただ、ガラスや鏡に映っているもの、冬の池や、女の子たちが黒くメイクした濃い瞳に映っているものを、繰り返してただけだった。そしてたぶん、いまこのとき――ひたすらペダルを、踏みに踏み、壊れに壊れ――、これと同じ沈黙が、母ちゃんの中に入ってこようとしてるんだ――オレはどんどん登っては、どんどん下っていく――、窒息によるあの青白い死が――押しに押し、漕ぎに漕ぐ――、鼻汁を垂れ流し、喉からはずるずると音がするあの死が――オレは風、曲がれ、オレはタービン、オレは歯車、蹴り上げろ――、絶対的な白い死が――オレは誰にも負けちゃいなかったんだ、母ちゃん！――、そのとき、オレの横を通り過ぎていく三人か四人か五人か一〇人かのあえぎ声、いやそれともオレの方が先頭に追いつきつつあるのか、一瞬のあいだオレは目をぎりぎり開いているのがやっとになり、そのあとこうやって固く強くまぶたを閉じなきゃいけなかった、そうしてないと、サンティアゴの街が宙に浮き始めちまいそうだった、そうしてオレを空高くまで運んで息の根を止め、そのあと硬い舗道や、猫でいっぱいのゴミ捨て場や、ゴロツキだらけの地区にオレを突き落として、頭をカチ割っちまうんだ。感覚が麻痺して、空いてる手を口の中に押し込み、手首に噛みついていたそのとき、オレははっきりと悟った、それは正気とは思えず、他の言葉にもできないが、心を捕らえて離さない、じわじわ満足がこみ上げるような確信だった。よし、上等だ、望むところだよ、この結末はオレ自身が決める、オレがくたばるときもオレ自身が決める、もっと強くペダルを漕ぎ、このレースに勝つ、それだけでオレの死にやり返してやれる、こんなオレだって、体の中にまだ言うことを聞くところが少しは残ってる、痙攣して熱をもった、瀬戸際（せとぎわ）の足の指、天使のようなひづめのような触手のような指、鉤爪（かぎづめ）のようなメスのような指、この世の終わりの指、運命を握る指、クソッタレの指がだ、だからどこにだって舵（かじ）をきれる、東でも西でも、北でも南でも、表でも裏でも、どこでもなくても、ていうかたぶん、ずっと東西南北表裏にいつづけることだってできる、動かないまま動き、貫きつづけるんだ。この手で顔全体を覆い、汗を手のひらで叩き落として、臆病さを振り払った。笑えマヌケ、そう自分に言い聞かせた、笑えよ腰抜け、大声で笑ってみせろ、だってもうお前はトップを独走してて、お前みたいにうまい足さばきで下りのカーブを走れる奴は誰もいないんだからな。

まっさらな、騒々しい、熱い血の上昇が、最後にもう一度だけ足の裏からやってきて、太ももを、腰を、胸を、首を、そしてひたいを満たした、これでおしまいだ、オレの体が神に逆らおうとする、その避けがたい流れの最中に、オレは坂がふっとゆるやかになるのを感じて、目を開け日差しをこらえた、そのとたん確かに、煙を上げるタイヤのリムがキイキイと、それじゃ、あばよと言いだした、チェーンは歌い、ハンドルは空を背に鳥の頭みたいにとがってて今にも飛び立ちそう、車輪のスポークは太陽を千の破片にして、そこいら中に撒き散らした、そのときオレは聞いたんだ、そう、聞いたんだ！　トラックに登ってオレを応援してくれてる人たちの声、下りのカーブの沿道できゃあきゃあわめいている子どもたちの声、第五位までの現在地を知らせるスピーカーの声を、そして新しいアスファルトの上で、車輪が凶悪なくらいのスピードで勝手に回り始めてたそのとき、大会委員の誰かが笑いながらオレの体の隅から隅まで水をかけ、その二〇メートル先では、水を滴らせ、ほっとして笑みを浮かべているオレを見て、誰か赤毛の女の子が「濡れドブネズミね」って口にした、もうこうなりゃオレはくだらないことばかり考えるのをやめなきゃ、道が滑りやすくなってる、も一回頭を使うときだ、ブレーキを使って、フルオーケストラのタンゴかワルツみたいに、踊るようにカーブを進むんだ。

　オレがでっちあげかけてた風が（宙（そら）は真っ青に澄んでた）いま吹きはじめ、目の砂ぼこりを取り去ってくれた、オレは首も折れんばかりに振り向いて、二番手が誰なのか見た。もちろん、あの金髪。でも悪魔に魂を売らない限り、下りでオレを抜かすなんてできっこない、その理由はいろいろあるけど、すごくシンプルな理由ひとつだけでも十分、スポーツ雑誌では技術的に解説されてるが、要するにオレは、ハンドブレーキは絶対に使わず、急角度のカーブでも靴をリムに当てるだけにしてたんだ。回転また回転、自転車に乗ったオレは、この街でピカイチの、ガチガチの猛獣だった。鉄、ブリキ、革、サドル、反射板、ライト、ハンドル、それらがオレの背中や腹、無数の硬い骨とひとつになっていた。

オレはゴールを通過し、チャリを降りて歩き出した。肩をばんばん叩かれるのに耐え、コーチが何度もしてくる抱擁に、『競技人』の連中の写真撮影に耐えて、コカコーラをぐいっと一気に流し込んだ。そのあと自転車を受け取り、側溝の脇道をアパート目指して進んでいった。

ドアの前でオレはためらいを感じた、土壇場で自信を失くし、疑いが影を投げかけたのか、すべてはオレを騙すでたらめ、インチキだったんじゃないかって考えがよぎったんだ、そう、まるで例の天の川の煌めきやら、道の上で砕け散る太陽やら、あの沈黙やらは映画の予告編で、でもその映画は、市街でも、地域の映画館でも、どんな人の想像の中でも、絶対に上映されることのないものだった、とでもいうように。

オレは呼び鈴を押した、二度、三度と、短い、ものものしい音。父ちゃんがドアをほんの少しだけ開けた、お互いに訪ね合う人の多いこの街では、扉を叩きピンポンを鳴らして家から家へ回って歩くのはよくあることなのに、まるでそんな街に住んでるってことを忘れちまったみたいだった。

「母ちゃんは？」オレは聞いた。

親父は微笑みながら、ドアを大きく開けた。

「大丈夫だ」オレの背中に手をやり、寝室を指差した。「行ってやりな」

オレはまごついて咳払いをし、廊下の途中で振り返った。

「母ちゃん何してる？」

「昼飯を食ってるよ」父ちゃんが答えた。

そっとベッドのところまで歩いていきつつ、オレの目は、優雅にスープをスプーンですくって唇のあいだに入れる、その動作に釘付けになっていた。肌は青白く、ひたいのシワは一センチも深くなったように思えたけど、母ちゃんは品良く、軽快に……そして食欲たっぷりに、スプーンを動かしていた。

面食らったまま、ベッドの端っこに腰かけた。

「どうだった？」クラッカーをつまみながら母ちゃんが聞いてきた。

オレは映画で見るような笑顔をやってみせた。

「よかったよ、母ちゃん。よかったよ」

ばら色のショールの襟元に、細いパスタがくっついていた。取ってやろうとして体を近づけた。母ちゃんはその手の動きをおさえて、手首に優しくキスした。

「調子はどうなの、おふくろ？」

今度はオレの首に手を当て、ひたいにかかる前髪の束を整えてくれた。

「うん、いいわよ。母さんの頼みを聞いてくれる？」

眉の動きでその頼みを尋ねた。

「ちょっと塩を探してきてくれない？　このスープ、味もそっけもないのよ」

立ち上がったオレは、ダイニングへ行く前に、父ちゃんのいる台所に寄った。

「母ちゃんと話したか？　もう元気だろ、な？」

父ちゃんの顔を見つめながら、オレは嬉しくってほっぺたをボリボリ掻いていた。

「父ちゃん、母ちゃんが何くれって言ったと思う？　何を探してきてくれって言ったか？」

親父が煙をひと吐きした。

「塩が欲しいんだってさ、親父。塩が欲しいんだって。スープが味もそっけもないから、塩が欲しいんだって」

オレはくるっと向き直って、塩入れを探しに食器棚に向かった。取り出そうとしたとき、食卓の真ん中にフタをしてないポンチェ酒のボウルがあるのが見えた。おたまも使わずに、コップを底まで沈め、盛大にこぼしながら、その液体を腹の底におさめた。体が熱くなってきてようやく、ちょっと酸っぱいのに気づいた。何度言ってもポンチェに鍋のフタをしない、くそったれの親父のしわざだ。オレはもう一杯ついだ、まったく、どうしたもんやら。

Antonio Skármeta

アントニオ・スカルメタ（一九四〇〜）

チリの小説家スカルメタは幼いころ、ユーゴスラヴィア出身の両親から、故郷を離れまだ見ぬ土地へと移り住んでいった祖先たちの物語を聞いて育ったそうです。やがて彼自身もまた、幼少期から繰り返した国内外への移住や旅、そして予期しがたい流浪の運命へと導かれていくことになります。

哲学や演劇を学んだスカルメタは、本作を収めた第二短編集『屋根の上で裸んぼ』（一九六九）で国際的名声を得ました。一九七〇年、史上初めて普通選挙で選ばれたアジェンデ社会主義政権がチリに成立すると、海外滞在中だったスカルメタは意を決して帰国し、教育分野での改革に参画しました。しかし、世界の期待を背負ったチリの社会変革の夢は、わずか三年後に、軍人ピノチェトのクーデターにより潰えてしまいます。スカルメタはやむなく亡命の身となりました。

アントニオ・スカルメタ
1981年撮影

創作の源泉であった祖国を失ったスカルメタは、この過酷な悲劇の記憶を描く新たな手法を亡命先で模索します。最初の亡命地アルゼンチンで出版した短編集『フリーキック』（一九七三）で激動の時代を活写したのち、長編『雪が燃える夢を見た』（一九七五）では、ユーモアを武器としてピノチェト独裁への批判を試みました。

さらに、十五年住み続けた西ベルリンでは、小説のほか映画脚本にも着手し、亡命生活の苦悩や外国語との格闘をも主題として取り込んでいきます。数あるスカルメタ原作映画のうち最も有名なのは、英国アカデミー賞を受賞し、世界中で舞台化もされた『イル・ポスティーノ』（一九九四）ですが、この作品もまた、同郷のノーベル賞詩人パブロ・ネルーダを題材とした、亡命と文学とをめぐる物語でした。一九八九年の帰国後も、文学教育やテレビ番組制作によって文化の普及に努めるかたわら、重要な文学賞を受賞した『トロンボーンの少女』（二〇〇一）や『勝利のダンス』（二〇〇三）など、旺盛な創作の旅を続けています。

『イル・ポスティーノ』DVD版（マイケル・ラドフォード監督・脚本）

初期短編である本作には、この長い文学的旅路の出発点が刻まれています。ロックやジャズ、映画やテレビ、マンガやスポーツといったサブカルチャーに親しむ都会の少年が若者言葉で語る等身大のエピソードには、当時の新世代のアメリカ小説と似た雰囲気があります。しかし同時に、唐突な非現実的シーンや、白昼夢の中のどこか詩的なイメージなどは、一九六〇年代に流行した「ブーム」期ラテンアメリカ文学の一側面である日常の中の幻想や、詩人の国チリの言語実験を受け継ぐものとも言えるでしょう。これらの異質な要素を、軽妙な会話やユーモア、巧みな構成により融合させた本作は、住み慣れた小説の作法から離れ、まだ見ぬ文学へと旅立つ可能性を示したスカルメタ初期の傑作として、今も読み継がれています。

（山辺）

【スポーツ】

「ことば」の文学と「からだ」のスポーツ。そこには意外な、いえ、本質的なつながりがあるのかもしれません。たとえば両者はともに、現実とは少し違う虚構の世界をルールに従って創り上げ、そこでしか味わえない価値や感動を生み出す「ゲーム」である、とは言えないでしょうか。

本作でのスポーツは、個人が世界や人生に対して挑む、身体を通した闘いの場として描かれます。瀕死の母、経済難、思春期の葛藤、冷戦期の閉塞感など、苦悶や謎に満ちた世界で悩む主人公は、自身（とその身体）をも死にかけの存在と感じています。しかし彼は極限状態の自転車レースという「ゲーム」の中で、重荷であったはずの身体と死とに向き合い、現実の中で圧殺されていた生の感覚を再発見します。この時、スポーツはもはや「銀河全体」との、自らの運命との擬似的な闘いと化し、すぐれた文学と同じように、囚われた生を虚構のうちに加速し凝縮させて、ついには現実に風穴を開けさえする「ゲーム」と化すのです。

あさのあつこ『バッテリー』など、スポーツを題材とした作品は昨今日本でも人気ですが、本作では主題だけでなく文体の変化によっても、「ことば」と「からだ」をつなぐ工夫が凝らされています。こうしたファインプレーに目を向けることも、文学という「ゲーム」の楽しみ方の一つです。

（山辺）

あさのあつこ
『バッテリー』
角川文庫

【話し言葉】

本作の文章を、どこか教科書的な「小説」とは異なっているな、と感じた読者もいるでしょうか。一つの原因は、六〇年代チリの若者言葉の多用です。臨場感のある若者言葉（サリンジャーに代表される「ティーンエイジ・スカース」）は、思いつきや空想、五感の刺激などが入り混じる主人公の「意識の流れ」を映しつつ、かつその等身大の内面を伝える手法となっています。

でも、本作で練り上げられた「話し言葉」の狙いは他にもあります。それはつまり、話し言葉と書き言葉との、小説と詩との、日常言語と文学言語との境界を取り払おうとする試みです。この「話し言葉」は、卑俗な表現、隠語や悪態、流行りの用語など、旧弊な小説観からみれば「不適切」な雑多な要素満載ですが、それでいて少年の荒唐無稽な空想を、不思議と詩にも似たイメージやリズムに昇華しています。本作は、小説や詩の「書き言葉」はこうでなくてはいけない、とか、詩人や小説家の書くものだけが文学だ、といった、文学言語の生命を奪いかねない考えを打ち破ろうとしてもいるのです。

言葉をアップデートし、言葉に新たな生命を吹き込むこと。それもまた、文学という営みが絶えず繰り返す挑戦の一つです。そう、ちょうど本作の主人公が、自分と世界を隔てている「沈黙」を乗り越えるべく、猛烈に新しい言葉を紡ぎ出しはじめるように。

（山辺）

J・D・サリンジャー
『キャッチャー・イン・ザ・ライ』
村上春樹訳
白水社

アウネーテと人魚　他四編

[訳] 中丸禎子

デンマーク民謡「アウネーテと人魚」

アウネーテは渡った、ホイラン橋を
そのとき人魚の男が一人、
　底から浮かびあがってきた、
――ホー　ホー　ホー
そのとき人魚の男が一人、
　底から浮かびあがってきた。

「聞いておくれよ、アウネーテ、
ぼくがあなたに言いたいことを。
あなたはぼくの最愛の
　人になる気はないのかい?」
「そうね、だったらそうするわ、
もしもあなたがあたしをつれて
　海の底に行くのなら」

人魚は女の耳を閉じ、人魚は女の口を閉じ、
海の底へと連れ去った。
そこで八年(やっとせ)一緒に暮らし、
息子を七人さずかった、女と人魚はさずかった。
アウネーテは座った、ゆりかごのそば、
歌を歌ったそのときに、聞こえてきたのは、エ
　ンゲランの鐘の音(おと)。
アウネーテは行った、人魚のもとへ。
「ねえ、教会へ行っていい？」
「そうだね、だったらそうしなよ、
　もしもあなたがもう一度、
　　幼い子たちのところまで
　　　戻ってきさえするのなら。
　　　　けれど墓地に行くときに、
　　　　あなたのきれいな金髪を
　　　　　人に見せてはいけないよ。
　　　　教会の床を踏むときに、
　　　　椅子に座った愛すべき
　　　　　お母さんのもとへは行けないよ。
　　　　牧師さまがいと高き神の御名(みな)を唱えても、
　　　　ひざまずいてはいけないよ」
人魚は女の耳を閉じ、人魚は女の口を閉じ、
エンゲラン浅瀬に連れてきた。
女が墓地に行くときに、
その金髪をみなが見た。

教会の床を踏んだとき、
椅子に座った愛すべき
　母のもとへと向かって行った。
牧師さまがいと高き神の御名を唱えると、
ひざまずいた、女は深く。

「聞いておくれよ、アウネーテ、
　わたしがおまえに言いたいことを。
おまえはいったいどこにいた、
　わたしから離れて八年も？」

「海の底にあたしはいたの、八年間で
産んだのよ、人魚の息子七人を」

「聞いておくれよ、アウネーテ、
　おまえ、愛しいわが娘。
おまえの名誉の代償に、
　人魚は何をくれたんだい？」

「人魚があたしにくれたのは、
赤く輝く金の帯、
　女王の手にもないような。

人魚があたしにくれたのは、
金の留め具のついた靴、
　女王の足にもないような。

それからね、人魚があたしにくれたのは、
金のハープよ、
　悲しみに満たされたときに弾くための」

人魚は遠く小道をのぼった、

海辺を離れて墓地の石まで。
人魚の男が教会の扉を抜けて入って行くと、
小さな像はどれもみな、
　くるりと人魚に背を向けた。

人魚の髪は純金で、
目は悲しみに満たされた。

「聞いておくれよ、アウネーテ、
　ぼくがあなたに言うことを。
あなたの小さな子はみんな、
　あなたを恋しがっている」

「恋しがって、恋しがって、
そうしたいならしたいだけ、
ひどいことよ、でも二度と
あたしはあそこに行きはしない」

「思い出してほしいんだ、
　大きい子たちと小さい子たち、
そしていちばん小さいあの子、
　まだゆりかごの中にいる」

「ほんとうよ、二度とあたしは思い出さない、
　大きい子たちも、小さい子たちも、
ましてゆりかごの中にいる
小さいあの子のことなんて、
――　ホー　ホー　ホー
ましてゆりかごの中にいる
小さいあの子のことなんて」

イェンス・イマヌエル・バッゲセン
「ホルメゴーのアウネーテ　バラード」

アウネーテは汚れを知らず
　愛され、まごころがありました。
けれどもたえず孤独に充ちて
　ついぞ安らぐことはなく――
　　ついぞ安らぐことはなく――
まわりの者を喜ばせても、
　ついぞ自身は楽しまず。

アウネーテはじっと見ました
　青い波間を――
ごらんなさい！　人魚の男が今一人
　底から浮かんであがるのを――
　　上へ浮かんであがるのを――
けれどもアウネーテはじっと
　　波間を見つめておりました。

人魚の髪は金糸紡ぎのよう、
人魚の眼は愛情深く、
　そのかんばせは柔らかく――
　　おお！　それほどに柔らかく！
鱗にかくれた胸のうちは
　愛にあふれておりました。

人魚の男は歌いました、アウネーテに向け
　その愛しさと苦しみを。
かくも愛しい物語、
　かくも甘い声でした
　　おお！　かくも甘い声でした！

唇からは人魚の心が
　好ましく流れ出ました。
聞いておくれよ、わがアウネーテ！
　ぼくがあなたに言いたいことを。
ぼくの心を満たすのは
　身を焦がすあこがれ、あなたへの！
　　あなたへの！
おお！　あなた、心を慰めてくれないか、
　ぼくを愛してくれないか？
銀の留め具がついた靴が一足
　崖の上にありました——
こんな美しい靴なんて
　女王の足にもありません。
　　「あなたの足に！
愛する人よ！（人魚の男は言いました）
　この靴を受けとってくれるなら！」

そして人魚は外しました
　胸から真珠飾りの帯を——
こんな美しい帯なんて
　女王の手にもありません。
　　「この帯をどうか——
愛する人よ！（人魚の男は言いました）
　手に結んでくれるなら！」
そして人魚は外しました
　金の指輪をその指から——
こんな美しい指輪なんて
　女王の小箱にもありません。
　　「これはぼくから、
愛する人よ！（人魚の男は言いました）
　小箱に入れてもらえたら！」

アウネーテは天の下
　海の深みを眺めます――
波は銀に澄みわたり
　海の底は青でした！
　　おお！　美しい青でした！
そのとき人魚は微笑んで
歌って、そして言いました。

聞いておくれよ、わがアウネーテ、
　あなたにぼくが言いたいことを。
あなたのためにこの心臓は燃えている
　愛の炎で燃えている――
　　おお、それはおだやかに！――
言っておくれ！　頼むからぼくを慰めてくれないか？
　ぼくのものにならないか？

聞いてよ、すてきな人魚さん！
　あなたのものになりたいわ！
海の底に向かうとき
　わたしを連れて行きたいならば！
　　わたしを一緒に連れてって！
あなたの海の底に着けたらそこで、
　わたしはあなたを愛したい！

人魚の男は女の耳と、
　女の口を閉じました。
かくして人魚は行きました、美しい人を伴って
　海の深みのその底へ。
　　口と口あわせ――
抱きしめられて口づけをかわせば
　危なくなどない、海の底でも。

アウネーテはそこにおりました
　二年（ふたとせ）が立つ間――
ふたりはともに愛しあい
　かくも愛されまごころに満ち――
　　愛は喜びでありました。
そして女は息子を二人
　人魚の館で産みました。

アウネーテは座っておりました
　静かにゆりかごのそばに、そして歌って――
聞きました、地上の音を、
　上から響く
　　ディン、ディン、ダン。
教会の鐘でありました
　ホルメゴーから響いていたのは。

アウネーテはゆりかごを離れて
　ふいに立ち上がり、
人魚のもとへ急ぎました。
　どうかすてきな人魚さん、わたしをきっと行かせてね？
　　わたしをきっと行かせてね？
おねがい、わたしを真夜中までに
　ホルメ教会に行かせて、きっとね？

あなたはもちろん真夜中までに
　ホルメ教会に行っていい――
朝までに戻ってきさえするならば
　小さな子どもたちのもとへ――
　　行って！　行って！　行っていい！
でも朝までには戻ってほしい
　小さな子どもたちのもとへ！

人魚の男は女の耳と、
　女の口を閉じました、
かくして人魚は行きました、上へ、その人を伴って
　ホルメゴーの岸辺に向かって――
　　口と口はなし
二人は別れ、人魚は潜っていきました
　ふたたびもときた海の底へと。

アウネーテは急いで行きました
　墓地に向かって――
そこで母に会いました、
　母の投げた言葉から踵を返して逃げました――
　　「お待ち！　どこへいくのです？」
けれども母はもう一度
　逃げる娘に言いました。

「聞いておくれよ、アウネーテ、
　わたしがおまえに言いたいことを。
おまえはいったいどこにいた
　こんなに長くわたしから離れ――
　　こんなに長く離れてさ？
言っておくれよ、どこにいたのか
　こんなに長く、隠れたままで？」

ああお母さん、わたしがいたのは
　人魚の館。
人魚といっしょにわたしのすべては海の底
　息子を二人産みました。
　　そしてわたしに安らぎが！
今ここにきて願うのは、
　向かうことなの、わたしの家へ！

「聞いておくれよ、アウネーテ、

わたしがおまえに言いたいことを。
お前の幼い二人の娘
　悲しくて死んでしまいそう――
　　叫びの中にまた叫び
あの子たちは泣いていた、二人の幼い女の子、
　おまえを恋しがっていた！」
恋しがって、泣いていて
　幼い二人の娘はここで！
わたしの耳はふさがれて、
　あちらで声は聞こえない――
　　あちらで声は！
あちらの幼い二人の息子
　苦しみやつれることでしょう、わたし
　がここに残るなら。
「助けてあげて、かわいそうな子どもたち！

　死なせたりしてはいけないよ！
思い出してあげなさい、いちばん小さな子の
　ことを、
　まだゆりかごの中にいる！
　　家に帰っていらっしゃい！
小さな魔物二匹のことはすっかり忘れておし
　まいよ
　おまえの本当の子どものために！」
花開くまま、枯れるまま、
　天国を望む二人の子たち！
わたしの心臓は止まったの、
　　二人の声聞く心臓は――
　　　声聞く心臓は。
わたしが生きていくのはね、わたしの人魚の息
　子たち
　小さな子たちのためだけよ！

「忘れることができるのね、
　おまえの胸に抱かれて笑った娘たちのことを、
　　　　たそがれどきになきがらが。」
今は新たにもう一人棺の中に
　歌と一緒に横たわる――
「聞かなかったかい、わたしの娘、
　鳴り響く鐘、
　　ディン、ディン、ダン？」

そう言うのならあの子らの父のことを思いなさい
　おまえの夫のまごころを――
　　そのまごころを知りなさい！
おまえがいなくなってすぐ、
　あの人はやすらぎを失った。

いま母親は踵を返し
　真夜中の鐘が鳴りました。
アウネーテは入っていきました
　扉を開けて教会へ――

ひと夏のあいだ嘆いたの、
　おまえの夫はおまえのことを嘆いたの――
そしてホルメ・フィエルクリントの
　崖の上から身を投げた――
　　身を投げた。
あの浜辺だよ、見つかったのは

すべての小さな像たちは
　くるりと後ろを向きました――
　　くるりと後ろを
教会の小さな像はみな
　くるりと後ろを向きました。

アウネーテはじっと見ました
　祭壇の絵を――
祭壇の絵は後ろを向いて、
　さらには祭壇自身もともに――
　　同時に
後ろを向きました、教会のどこに
　眼（まなこ）を向けたとしても。

アウネーテはじっと見ました
　足もとの石、
母の名前がありました
　名は墓石に刻まれて、
　　アウネーテが立つその場所に――
すると砕け散りました、哀れな女の心臓は、
　すると凍りつきました、哀れな女の血
液は。

アウネーテはよろめいて、
　くずおれ、倒れ伏しました――
今では子どもたちがみな
　いたるところで恋しがる――
　　いたるところで。
今では息子も娘と同じ
　いたるところで恋しがる。

泣いていて、恋しがっていて、
　ここでもあそこでも嘆いてよ！
両の眼（まなこ）は閉ざされて、
　もう開くことはありません――
　　もう開くことは！
粉々に砕けた心臓が
　脈打つこともありません。

アダム・エーレンスレーヤ「アウネーテ」

アウネーテ　ひとり女が浜辺に座すと、
白い砂へゆらゆらと　波が静かに打ち寄せた。
ふいに立つのはなみがしら　強く高く波が立つ、
人魚の男がたちまちに　海の底から浮かんであがる。

人魚の命を守るのは　銀に輝く鱗の鎧、
上に輝く太陽は　やがてばら色の夕暮れに。

人魚の槍は釣竿で　その鉤針は珊瑚製、
人魚の盾は　海亀の茶色くアーチをなす甲羅。
銀の蝸牛の兜をかぶり　海藻の髪をなびかせて、
背黒鴎の声のよう　人魚の男のその歌は。

話して、すてきな人魚さん、水にぬれた館のすべて！
いつ求婚者はここに来て　あたしに誓いをたてるのよ？

聞いておくれよ、アウネーテ！　ぼくがあなたに言いたいことを。
ぼくが持つものすべてを知れば　あなたの許婚にぼくを　きっとあなたは選ぶはず。

海の底にあるものは　光に満ちる大広間、
壁は澄んだクリスタル。
七百人の侍女たちが　食卓のそばにかしずいて、
体と顔は女の姿　脚の代わりに魚の尾。

橇を一台贈ったら　螺鈿にきらめくその橇を、
あなたの海豹が引いていく　雪の上行く馴鹿の
　ように。
ぼくの緑の海の中に　花々が高くそびえたち、
水の中で咲きほこる、青い大気の中の如くに。
そしてすてきな人魚さん　あなたの話が真実な
　らば、
それならあたしはあなたをすぐに　許婚として
　選びましょう。
アウネーテ　身を躍らせて海中へ　若く愛しい
　妻となり、
人魚は妻の足にそえ　海藻と葦も引きこんだ。

　ともに暮らした八年間、
息子を七人　海の中　女と人魚は授かった。
アウネーテは　篭の中に座す　葦の下そして海
　藻の下に、
聞こえてきたのは　地の上の教会の鐘の響く音。
アウネーテは　夫のもとへ行き　立った。
お願い　あたしをもう一度　神さまの家に行か
　せてよ！
聞いておくれよ、アウネーテ、ぼくがあなたに
　言いたいことを、
二十四時間だけならば　ぼくから離れてかまわ
　ない！
アウネーテは　キスをした　息子たちに　浴び

　せるように、
みなに願った、千回も　おやすみなさい、良い
　夜を。
泣いたのは大きい息子たち　泣いたのは小さい
　息子たち、
そしてもう一人泣いたのは　ゆりかごの中にい
　る子ども。
アウネーテは天の下　再び浜辺に立っていた、
見ていなかった　太陽を　八年のあいだ一度さ
　え。
アウネーテは　家族のところへ向かったが。
お前のことなど知るものか　お前は異教の女だ
　ろう！
アウネーテは　教会の扉を開けて入ったが、
小さな聖像たちはみな　彼女にくるりと背を向
　けた。
アウネーテは　祭壇の盃に口をつけ、
黒く暗い海の底で、誰かに見られている心地。
女はふるえた　身を切る思いで　ただ一言も発
　しない。
聖なるワインを　床にこぼした。
夕暮れのなか　煙と闇とが落ち来るときに、
アウネーテは　またも浜辺にい出された。
両掌(りょうてのひら)を組み合わせ、呪われた妻はこう言った。
神さま、あたしにお恵みを、若い命を差し上げ
　ます！

アウネーテは沈んだ　草の中　青い菫のただ中へ、
このできごとが　花々の青さを増したと　私は語る。
頭青花鶏はさえずった　緑の枝の高みから。
きみアウネーテは今死にゆく、それをぼくらは知っている。
黄昏時の太陽が　大地の丘の後ろへと　低く沈んで行くときに、
その心臓はうち震え、両の目玉ははりさけた。
高く上がる波たちは　「悲しい」「ああ」の嘆きとともに、
かくも静かになきがらを　海の底へと運んで行った。
三日のあいだ　海底に横たわった　死の後で、
そして再び波たちが　女を浅瀬へつれ出でた。
朝も早くに少年が　草地で鵞鳥の番をした、
そして見つけた　アウネーテを　驟雨を逃れ岬に行って。
砂地に女は葬られた　海藻生うる石の裏、
草臥れた波足から今も　石は女を守っている。
毎朝毎夜その石は　からい潮に浸される、
それは、と歌う町娘、それは人魚の涙なの。

ベアンハード・セヴェリン・インゲマン
「人魚　ロマンス」

赤い月が輝くのは小さな星たちの中、
人魚の女は閉ざされた青い闇に踊り、
黒い波は白い砂へと転がって、
若者が裸の砂を歩く
　燃える頬を渇望しながら。

人魚は笑う、いとも艶(つや)に満ち、
若者を見るそのさまの、愛は深く、恵みも深い、
おお！　気をつけろ、若者よ！　気をつけろ、
　しかと！
いともたやすく惑わされた若い魂は、
　夜中の霧に視界をなくす。

「来てくれ」、彼はため息をつく、「おれのあこ
　がれの乙女は、
踊り、荒波を滑る！
南をさまよい、北をさまよい、
おまえを探した、広い大地の上を全て、
　大地の上では決して、おれはおまえを
　見つけない。」

旅の男は狂って踊る
裸の人魚と白い砂で。
青白い月が輝くのは小さな星たちの中、
しばしふたりは青い波に漂い、
　そして中へ――底へと消える。

ベアンハード・セヴェリン・インゲマン

「解き放たれた人魚」

わたしの命はあこがれだった、自分では決して
　分からなかったけれど、
ひそかな苦難と、懺悔できない渇望と、
海の深みの牢獄で自由を思うため息と、
永遠に根ざす命だけを求める夢だった。

命はあこがれたちの川に浮かんできた！
とけていった、ため息は！　満たされた、わた
　しの夢は。
わたしには今、天国までも開かれ、
永遠の輝きをわたしの川に映し出す。

葦の間で風がもらすため息のようには、わたし
　の命は滅びない。

魂がひとつわたしに授けられた、人間としての
　生とともに――
愛とともに、わたしに従ったのは永遠の命――
万物のため息は慰めだと、わたしには分かる！

いつの日か、万物の嘆きは慰められるだろう！
黙する者は語るだろう、盲いた者は見るだろう。
まどろみの中で夢見る魂が目ざめるとき、
祝福された愛の奇跡が、きっと、きっと起きる
　はず！

［翻訳協力］高橋美野梨

デンマークの人魚詩群と作者たち

ヨーロッパの人魚伝説はキリスト教と深く関わりながら展開しました。キリスト教の教えでは、魂を持つのは人間だけで、人間以外の動物――人魚は一八世紀まで世界のどこかに実在する魚として魚類図鑑や動物図鑑に掲載されていました――には魂がありません。魂を持たない人魚は、神に呪われ、人間に不幸をもたらす存在でした。

「アウネーテと人魚」は、フランス起源の民謡で、北欧では一三世紀から親しまれ、一八世紀に書きとめられました。「人魚」Havmand（ハウマン）は、「海」Hav（ハウ）と「男性」Mand（マン）の合成語で、上半身が男性、下半身が魚の姿をしています。今回訳したのはオルリック&ファルベ＝ハンセン編『デンマーク民謡集』（一九一八）に掲載されたもので、ほかにも、聖像が背を向ける場面がない、アウネーテが人魚のもとに戻る、といったヴァリエーションがあります。

「アウネーテと人魚」を題材とする二編の詩の作者たちは、当時のデンマークの情勢を背景に、対照的な作品を書きました。一八世紀までのデンマークは、北大西洋地域、アメリカ、インドに領土や植民地を持つ「海上帝国」でしたが、ナポレオン戦争敗戦後の一九世紀にその領土は、縮小の一途をたどりました。ロマン主義作家アダム・エーレンスレーヤ（一七七九～一八五〇）は文学を通じた再興を願い、北欧神話や民間伝承、民謡を通じて、その輝かしい過去の姿を求めました。啓蒙主義作家イェンス・イマヌエル・バッゲセン（一七六四～一八二六）はデンマーク語とドイツ語で創作をする「世界市民」を自認し、中世の北欧を非理性的で野蛮だと批判しました。二編の詩を通じて、「アウネーテと人魚」はデンマークで最も人気のある民謡の一つとなりました。ハンス・クリスチャン・アンデルセン（一八〇五〜七五）も、この題材で戯曲を書いています。ベアンハード・セヴェリン・インゲマン（一七八九〜一八六二）は、ものを感じ、考える「主体」や、その影の部分としての「狂気」をテーマとしました。海、砂浜、空の豊かな色彩を背景に、情熱的な女性人魚が若い旅人を誘惑する「人魚」は、人間に不幸をもたらす伝統的な人魚像を引き継ぎながらも、身の破滅を旅人の喜びとして描いています。人魚伝説には、人魚は人間と結婚すれば魂が得られる、とするものがあります。「解き放たれた人魚」では、人間との結婚により魂を得た女性人魚が一人称で——一人称語りは主体性のメルクマールです——来し方を語ります。

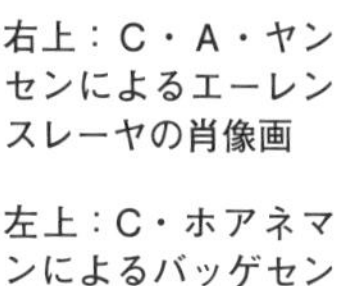

右上：C・A・ヤンセンによるエーレンスレーヤの肖像画

左上：C・ホアネマンによるバッゲセンの肖像画

右：C・A・ヤンセンによるインゲマンの肖像画

今いる世界とは別の世界にあこがれるアウネーテ、海を自由に泳ぐ男性人魚、豊かな色彩、魂を求める女性人魚は、アンデルセン『人魚姫』を経て、「愛ゆえに人間を救う人魚」という新しい人魚像を結んでいきました。

（中丸）

【異類婚】

「異類婚姻譚」は、「人魚と人間の結婚」のように、人間でないもの（異類）と人間の結婚を扱う物語です。異類のヴァリエーションは動物から神仏まで幅広く、「鶴の恩返し」では鶴、「浦島太郎」では仙女、「羽衣伝説」では天女、ドイツの「ウンディーネ伝説」では水の精、アイルランドの「セルキー伝説」では皮を脱いで女性の姿になったアザラシ、フランスの「メリュジーヌ伝説」では呪いで下半身が蛇になった女性、グリム童話「蛙の王様」では蛙に変身した男性が人間と結婚します。異類婚姻譚にはしばしば、「機（はた）を織る姿を見てはいけない」「隠した皮を見つけられてはいけない」など、タブー、すなわち、結婚を継続するために「してはいけないこと」が定められています。多くの場合、タブーは破られ、結婚は破綻します。

挙げた例はいずれも、「伝説」「昔話」など古い形態の物語です。「鶴の恩返し」は木下順二の戯曲『夕鶴』（一九五〇）に、「セルキー伝説」がアイルランドのアニメ『ソング・オブ・ザ・シー』（二〇一四）に改作され、バレエの人気作品『ジゼル』（一八四一）では幽霊の女性、『白鳥の湖』（一八七七）では白鳥に変身した女性の悲恋が描かれます。異類婚姻譚は、異類と人間の成就しない愛を描くことで、愛の不可能性や可能性を示す物語として、現在も親しまれ続けているのです。

（中丸）

木下順二
『夕鶴・彦一ばなし』
新潮文庫

【アダプテーション】

一八三四年、H・C・アンデルセンは、民謡「アウネーテと人魚」に失恋体験を織り込み、自身を投影したヴァイオリン弾きが登場する長編戯曲『アウネーテと人魚』を発表しました。この戯曲は評判が悪く、アンデルセンは舞台を灰色の北海から地中海風の色鮮やかな海に移し、人魚と人間の性別を逆転させ、童話『人魚姫』（一八三七）を執筆します。一九〇九年にはコペンハーゲンでバレエ『人魚姫』が上演され、主演のエレン・プリースをモデルに「人魚姫」像（一九一三）が制作されました。

エレン・プリースをモデルにした「人魚姫」像

『人魚姫』を原案に寺山修司は人形劇『人魚姫』（一九六六）を執筆し、ディズニーはアニメ『リトル・マーメイド』（一九八九）を製作。アニメ版はさらに、東京ディズニーシーのアトラクション「マーメイド・ラグーン」、ブロードウェイ（二〇〇八）や劇団四季（二〇一三）のミュージカル『リトルマーメイド』になり、実写映画化も予定されています。それぞれの作品は、同じ原作に依拠しながら、少しずつ内容が異なります。このように、ある原作を別のメディアに移し、内容を変更することを「アダプテーション」と呼びます。

英語の辞書でadaptationを引くと、「適応」という訳が出てきます。生物が環境にあわせて構造や習性、特性を遺伝的に変更することを表す生物学用語です。新しいメディア環境に合わせて変化することで、「原作」は新たな構造や特性を獲得し、古い時代から新しい時代へ命脈をつないでいくのです。

（中丸）

庭

エルネスト・コリチ
［訳］小林久子

シュク・ディラは、ゆっくりと大庭園（アッラ・エ・マーデ）通りへと向かった。丘からキル川を渡って吹いてくるそよ風が、七月の午後の暑さを和らげはじめている。太陽はもう低いというのに、小路（こみち）や塀はまだ焼けついていた。シュクには暑さは苦にならなかった。というのも、ちょうど午睡から目覚めたところだったからだ。途中の泉で、行水をして眠気を覚まし、生気を取り戻した。シュコドゥラの泉で水浴びを楽しんでいられた頃からずいぶん長い時が過ぎてしまったが、その水は、とても甘美であるがゆえに多くの伝説の源泉でもあった。シュクは辺りを慮（おもんぱか）って気をつけて服を着たが、大勢の者たちが戸口から、あるいはベネチアン・ブラインドのすき間から、そんな自分のことを見ているであろうことはわかっていた。

シュク・ディラは、ある人を返礼訪問するためにアッラ・エ・マーデへ行く途中であった。

長いことシュコドゥラを留守にしていた後で、彼が帰郷するや、おびただしい数の親類縁者や友人・知遇たちがシュクのところに立ち寄るようになっていた。多くの来訪に返礼の訪問をするのは、彼にとっては厄介なことであったが、今回はちがっていた。遠い親戚のシャチェを訪ねるのはむしろ楽しいことであった。なぜなら、彼女とは子どもの頃よく一緒に遊んだ仲だからである。二人は、シャチェの家や庭でほんとうに楽しく過ごしたものだった。人は、子供の頃遊んだ場所から長く離れていればいるほど、その場所はよりいっそう夢想に包まれるものであるし、そこをもう一度見たいという気持ちはより強くなるものである。シュクが故郷に戻ったまさにその最初の日から、家の一番小さな角っこや隅っこに始まって、最も遠く離れた通りや路地に至るまで、ありとあらゆる街角、ありとあらゆるものが彼にさまざまな記憶を呼び起こし、楽しくもあり懐かしくもある、それでいてどこか目新しくて馴染(なじ)みのない夢や印象で彼を満たした。

時間を持て余している通行人の怠惰な歩みに合わせて歩を進めながら、シュクは特別な関心を持ってあらゆるものを観察した。近隣の家々の塀や庭はどれも馴染みのあるものであった。そう、彼はそれらを思い出すことができたが、彼の記憶の中では、すべてはぼんやりとして、伝説か何かのように金色の霧に包まれていた。そのことがなおいっそうその塀や庭を心誘うものにしていたのである。今も、ずいぶんと久しぶりにそれらの中を通り過ぎながら、まさに自分の目でいろいろなものを見て、それらの新たな、そして思いがけない魅力をシュクは発見するのであった――たとえば、葉の繁った桑の木の背後の傾いたファサード、芳香を放つスイカズラが密生する庭塀、そして影と謎に満ちた路地を。ありとあらゆるものがすばらしい新緑の公園や風景を思い出させ、草の上を裸足(はだし)で駆けたい気持ちにさせるのであった。

彼はいつしか白昼夢に落ち、そんな彼を人々が好奇の眼差しで戸口から見ていることは明らかであった。

外国にいる間、シュクは大都会の騒音のただ中で、カフェのテーブルに一人で座り、シュコドゥラのことをよく考えたものであったが、そうした彼の想いは空想の翼に乗って故郷へと飛んでいくのであった。彼は故郷の通りをさまよい、人気(ひとけ)のない庭園に入って、緑色の草を踏んでいる自分に気づくのであった。彼はそれを、つまり遠く離れた自分の生まれた町をあちこち空想の中で歩きまわることを「空想の旅」と呼んでいた。今や、長年の離郷と故郷への思慕の果てに、現実は自分が見た夢と全く同じだとわかったのだ。

突然、彼はもの思いから醒(さ)め、独り言を言った――「道に迷ったか？」

シュクは方向を見定めるために左右を見回して、子供の頃に覚えていた道を見つけようとした。

「おや？　後ろだったかな、手前の……」

実際、彼は小さな横丁を通り過ぎてしまっていた。急いで引き返すと、シャチェの家への小路(こみち)

を見つけ、その門口にたどり着いてみると、あたりは暗くて雲行きも怪しくなっている。門の前の道の丸い敷石もすり減って、その石の間からは雑草が伸びていた。

彼は、まるで子供の頃に失った世界の魔法の扉を叩いているかのように、その門を叩いた。

中庭を横切って来る木靴の音がこだまして聞こえた。そして、血色のよい卵形の顔をしたメイドが扉を開けた。メイドは、それまでシュクには一度も会ったことがなかったので、一瞬ぎこちなく顔を赤らめたが、そのまま屋敷のほうへ小走りに駆けていった。メイドは、上り口でその木靴を脱ぎ捨てると、その家の女主人にシュクが到着したことを知らせるために階段をまた小走りに駆け上がっていった。

メイドの無愛想な振る舞いに驚きながら、シュクは後ろ手に入り口のドアを閉めて、階段のほうへゆっくりと向かった。なんという歓びとともに、シュクは辺りを見回したことであったろうか！　裏庭は、隣家(となり)の庭とこの家のそれとを分ける石壁を除けば、最後に見たときとまったく変わっていなかった。その石壁は、昔は垣根であった。屋敷は、壁が新しく塗り直され、幾分か手が入れられているようではあったが、ほかに特に変わったところといっては見受けられなかった。木製の階段と鉄の取っ手のついた窓枠のあるオープン・テラスも、昔と同じだった。何もかもが昔のままであった。

シュクの目は屋敷の裏手の庭へと続く小さな戸口に釘づけになったが、そのとき、女性の声がベランダから響いた。

「まあ、シュク！　上がって！」

階段の上には、両手を後ろに回して、付けていた白いエプロンを慌ててはずそうとしているシャチェがいた。シュクは上がっていって、彼女を抱擁し、居間へと入った。

ここも、何もかも昔のままであった。

シャチェは、シュクの向かいに座って話し始めた。

「信じてくれないでしょうけど、私、神様に誓って言うわ、何日か前、あなたのところに会いに行ったとき、私、あなたのことがわからなかったのよ。歳月（としつき）が過ぎるってすごいことよね！私、あなたがどんなに小ちゃかったか覚えてるわ。今でもあなたが庭で遊んでいるのが目に見えるようよ。もうほんと、あなたが小ちゃかった時は、大変な思いをさせられたんだから！　どうしてだか覚えてる？　あなたったら近所の子供たちをみんなここに連れて来て……よくここに来ては泊まっていた頃のこと、覚えてる？　ルシュなんか――ああ神様、彼の御霊（みたま）が安らかでありますように――あなたが外国にいる時にはあなたのことばかり話してたものよ」

ルシュというのは、彼女の亡くなった夫のことである。

シュクは嬉しくて顔に笑みを浮かべていたが、返事はしなかった。シャチェの声の響きは、シュクの心の底にある何かをかき乱して、過去の記憶や長い間忘れていた歓びの記憶を呼び戻した。目を閉じてさまざまな記憶に浸っていると、シュコドゥラを離れていた年月がまるでそんな時間など存在しなかったかのように消えていく。記憶の中では、シュクは、遊びに夢中で楽しく辺りを跳ね回り休むことを知らない小さな子どもに再び戻っているのであった。

シャチェは続けた。

「ああ、シュク、かわいそうなルシュったら、あなたのことばっかりだったわ！　言ったように、一日たりとあなたの名前を口にしない日はなかったし……まだリンも学校へ通っていて……それで、ルシュが亡くなったときには、私がリンを慣れない仕事先の市場まで連れて行ってやらないといけなかったのよ」

リンは、彼女の息子である。

「去年のリンの結婚式には、あなたがいてくれたらどんなにいいかしらって！　私、みんなにずっと言ってたのよ、『シュクがうちの結婚式に出席しないだなんて、なんて恥ずかしいこと』って。それはそれはすばらしい披露宴だったのよ。それに、リンたら自分で、これ以上いいお嫁さんは見つけられっこないって言って……そう言えばどこかしら？　あの娘はどこ？　ほら、いらっしゃい！　シュクは家族ぐるみのお友だちなのよ。そんなにおしゃれしなくていいの」

シャチェは、その若い娘がこちらに来るかどうか見に立っていった。シュクは、自分が座っているところから窓越しに庭を見ようとした。庭の景色が見えにくいわけではなかったが、彼が座っているところからは、庭の一部しか見えなかった。そして、大きなイチジクの木が今ではこの二階の窓に届くまでに枝を伸ばしていた。

ああ、あの庭……僕らの子ども時代の緑なす遊び場！　シュクは、もう久しくその庭を見ていいなかったが、その庭の隅々まで――高い木も低い木も全部、草一本残らず全部――覚えていた。どんなにちっぽけなものでさえも、さまざまな記憶を運んできた。

シュクが外国にいる間、毎年春になると彼の心の中に緑を育んでいたのはこの庭であった。

「ほら、これがリンのお嫁さんよ」

シャチェは、その若い娘と一緒に戻って来ると、シュクのもの思いを遮った。

三人は座って話をした。シュクは、ところどころで二言三言話したが、それはその場の沈黙や郷愁といったものをうまく取り繕うのには十分であったので、心ここにあらずの彼のふるまいもそうと疑われるはずもなかった。話している間、彼は目の端からその花嫁を見ていた。

娘は取り立てて美しいというわけではなかったが、彼女の顔には、にじみ出る温かさ、一瞬にしてその持ち主を魅力的にする明るさというものがあった。

彼女は、地元の民族衣装――光沢のある黒のズボンと白い絹のブラウスに赤いエプロン、胸にはメダリオンの首飾り、そして髪には小さな金貨の下げ飾り――を身につけていた。ずっとうつむいて、手に持っている金色に輝く輪飾りのたくさんついた白いハンカチを見ている。時折、顔を上げたが、シュクと目が合うとすぐにまたうつむいて忙しくまばたきをするのであった。

シュクは、以前からずっと彼女を知っているような気がして、シュコドゥラの女性の多くの特徴でもある優しい表情を彼女の顔に見てとると、花嫁への当初の好奇心は消えていった。

「あなたが戻ってから私があなたに会いに行ったときには、ヴィダは何日か親類のところに行っていたものだから、一緒に連れて行けなかったのよ」とシャチェは言った。

ヴィダというのが花嫁の名前であった。

それを言うと、シャチェは今度は花嫁の良いところを褒め始めた——嫁は働き者で、口数も少ないし、几帳面で、リンとはほんとうにお似合いだ——と。

その若い娘は顔を赤らめて、ますますうつむくばかりだった。シュクは彼女をずっと見ていたが、実際のところそんなに関心があるわけではなかった。というのも、彼は再び白昼夢に浸っていたからである。

「庭で一緒に遊んだあの女の子たちは、今は皆どこにいるのだろうか？　もちろん、みんな大きくなってほとんどはもう結婚している。ひょっとすると自分は通りで彼女たちにもうすでに会っているかもしれないし、たとえ会っていてもわからないだろう。そのうちの何人かは亡くなってさえいるかもしれない……」

シュクは、ドゥシャのことを思い浮かべたが、彼女は子供の頃の一番の仲良しであった。シュコドゥラを離れるとき、シュクはドゥシャとの思い出を一緒に持って行って、外国をさまよっていた長い間、その思い出を大切に守ってきたのであった。ドゥシャは、ひどく顔色の悪い痩せっぽちの小ちゃな女の子だった。彼女のたよりなげな特徴の中で、大きな黒い瞳だけがいくらか生気を示していた。

シュクがドゥシャを自分の保護の下においていたので、ほかの子供たちは誰もあえて彼女をいじめたり悪さをしたりしようとはしなかった。シュクは、いつも彼女にクルミやら、凧（たこ）をつくるための紙や糸やら、ジャック遊び[1]の羊の肢骨（ナックルボーン）、それから小さな人形などもあげていた。思い出してみると、一度などは、彼女に鉛筆やインク壺や消しゴムの入った美しい筆箱をあげたいとさえ思った。それは、おじさんがシュクのためにトリエステから買ってきてくれたものだった。彼女はそれを受け取ろうとしなかった。シュクは頼みこんだり、おだてたりすかしたりしてみたがむだだった。彼女に贈り物を受け取るよう説得することはどうやってもできなかった。

ドゥシャは今頃どこにいるのだろうか？

彼女の名前以外、シュクは彼女のことを何も知らなかった——両親はどんな人だったのか、あの頃彼女がどこに住んでいたのか——それさえも知らなかった。彼は彼女と庭で会っていたのだったが、たった今、なぜ自分がいつもここに来て遊びたかったのかがわかった。ドゥシャと会って一緒に過ごすことが自分の望みだったのだ。ずっと留守にしていた間、彼女の噂は何も耳にしなかったし、そんなふうに考えるのはおかしなことだが、あんなに痩せっぽちで壊れやすかったのだからひょっとすると彼女はこの長い年月をもう生きのびてはいないかもしれないと思った。彼は、なんとなく彼女がフシャ・エ・ルマイット墓地に横たわっている姿を想像して、悲嘆にくれた。そして目の前に、彼の妹と一緒に死んで横たわっているのが見えた。

そのときシャチェが言った。

「リンもまもなく市場から戻ってくるでしょう。あなたに会えなかったら、すごくがっかりするでしょうに。シュク、リンを待っていられる？　ラキ[2]を泉に冷やしておいて、食前酒に美味しいのを出してあげましょう。だから、リンが帰るまで待っててちょうだい！　リンももうすぐ……」

シュクは答えた。

「いいけど……その間に、よければ庭を見に行こうかな……」

「もちろん、そうなさいな。ヴィダ！　シュクを連れて行って庭を案内してあげて」とシャチェは言った。

その若い娘は顔を赤らめながら立ち上がった。

二人は階下に降りると、彼女はシュクのために小さなドアを開けて、「お入りになって」と消え入りそうな声で言った。

シュクは庭に入って、柔らかな青い草の上をつま先立ちで歩き始めた。

それは夢のようであった。今では自分が大きくなってしまったので、そこは以前より狭く思えたし、塀も低く、木々も思ったほど高くはないように思われたが、それ以外は何も変わっていなかった。

太陽はもう見えなかった。塀の向こうに消えてしまっていた。生気のないほの暗い夕方の光が庭じゅうに広がっていた。それは黄昏（たそがれ）の最後のひとときの前ぶれであり、ある種の悲しみをもたらすその光は、永遠に消えてなくなろうとしている何かを切望しているのであった。何もかもがじっとしている——葉の茂った大きなイチジクの木も、庭の真ん中に円を描いて高くそびえているスモモの木の葉も、灰色がかったセイヨウキヅタも、高い壁を覆うように花を咲かせているスイカヅラも、家の窓の下で傘の形をしたツゲの木さえも、静かにじっとしていた。まるでそれらの上に降りてくる夜のとばりを待ちながら黙して集(つど)っているかのように、何もかもまったく動かなかった。

まったく動きのない庭で、空気はさまざまな芳香に満ちていた——熟れた果実の匂い、新鮮な草の匂い、花々やハーブやあちこちの冷んやりした隅っこに隠れた植物のかぐわしい香りでいっぱいだった。庭塀の内に囲い込まれたこれらすべての匂いが集まって、芳香酒にも負けないくらいすばらしい一つの香りを醸(かも)し出していた。

黄昏は、そのほの暗い陰りとともに広がってさまざまな色を消していったが、また、壁に覆いかかる銀色のヴェールのように、空一面の無数の星に輝きを灯してもいた。シュクの夢見る目には、庭はゆっくりとまた姿を変え、夜明けのイメージを帯びていった。

しばらくの間、あらゆるものが奇跡のように変化した。春の鮮やかな光が庭にあふれ、植物はよみがえり、成長し始めた。ヴェールのように庭を覆っていた静寂は、突然、さまざまな声や叫び、そして笑いさざめきに取って代わられた。いろいろな音の中で、シュクはある女の子の優しい声を聞き分けて、心が躍った。彼は今一度子どもに戻っていた。彼は、草むらを転げまわり、木に登り、甘いイチジクへと両手を伸ばし、そしてツゲの木の茂みに隠れた。しかし、すぐに驚いて走るのをやめ、今しも開こうとしている小さな戸口のほうを見た。彼の小ちゃなガールフレンドであり幼なじみのドゥシャが、赤いキャンディを一つ握って庭に入ってくる。女の子はそのキャンディを舐めながら、彼のほうに歩いてきた。

「うちの屋敷の裏には美しい庭がありますでしょう？」

シュクは若い娘の声で白昼夢から醒めた。彼女の言葉が周囲にひろがって彼の夢を砕いたので、彼は最初は慌てた。しかし、まもなく自分の沈黙が長くなりすぎてしまったことに気まずさを感じて、どうしても何か答えなければと思った。

「そうですね、庭はすばらしいです。子供の頃を思い出させてくれるので、この庭が大好きです。ご存知でしょうが、僕はよくここに遊びに来ていたんです。でも、過去の思い出というものは、それがどんなに好ましいものであっても、常に僕を落ち着かない気持ちにさせるんです。つまり、この庭に入った途端、僕はそういう心持ちになったわけです」

彼はそう話してから、彼女を見た。

その若い娘は、身体から健康と若さとを発散させて、彼が話すのを聞きながら微笑んでいた。その目には歓びと安らぎとが表れている。顔の恥ずかしげな表情は、もはや消えていた。

シュクは、心の中で考えた。

「憂鬱というものがどんなものか知らないなんて、君はなんて幸運なんだ！　憂鬱とは、しばしば僕の魂を蝕む病なのだ。もし僕が自分の考えていることを洗いざらい全部話したりしたら、君はおそらく僕のことをおかしなやつだと思うだろうし、ひょっとしたら頭が変だと思うかもしれない。君はほんとうに幸せだ！」

心の中で言い終わると、彼は言った。

「僕は、もう十年以上もシュコドゥラを離れていたんです。ご存知のように、長いこと他所にいると、戻った当初はほんとうに些細なことにさえも気づくものです」

娘の唇が動いた。シュクは一瞬待ったが、彼女は何も言わなかった。

光は、次第に薄れて消えてなくなった。庭にはもう夜が降りてきていた。もう暗くて、しかも娘はシュクから離れたところに立っていたので、彼には顔がよく見えなかった。しかし、まるで今にも何か言いたいことがあるのに自分でそれを押しとどめているかのように、娘の身体が震えているのをシュクは感じた。

彼は、ひょっとすると自分の話で彼女を退屈させてしまっていたのかもしれないと思って、戸口のほうへと歩きだした。

「二階へ戻りましょうか？」

彼女はやはり何も答えなかったが、彼の歩みについてきた。庭の中ほどまで来ると、突然、シュクは何度も口をついて出そうになった質問をもはや飲み込むことはできなかった。

「あなたは、昔この辺りに住んでいたドゥシャという小さな女の子のことを何かご存知では？」

彼女は彼の後ろを歩いていた。何の返事もないので、彼は振り返らずに続けた。

「その女の子は、あまり健康ではなくて、痩せこけていて、顔もやつれていました。なぜだかわからないけれども、彼女は死んでしまったかもしれないという感じがしているんです……ここにあるスモモの木々は、僕の幸福な子供時代の目撃者だったのです。少なくともスモモの木だけは、何が起こったのか僕に教えてくれることができたらいいのに。ほんの一瞬ほど前には、僕は昔大好きだったその女の子のことを考えて歓びにあふれていたのに、今ではもう、その子が墓の中にいるのが見えるのです」

その瞬間、まるで雷に打たれたように、彼はくるりと振り向いた。

その若い娘は、唇に笑みを浮かべて、そして答えた。

「私がわからないの、シュク？」

（1）片手だけで、骨を一つ投げ、落ちてくるそれを受け止めるまでに、下に置いた骨をいくつ拾えるかを競う遊び。
（2）バルカン半島に広く伝わる葡萄から作られる蒸留酒。アルコール度数は四〇〜五〇度くらい。アルバニアでは、昔から自家製のラキがよく飲まれてきた。

Ernest Koliqi

エルネスト・コリチ（一九〇三〜一九七五）

この小説が書かれたアルバニアという国は、ヨーロッパの辺境に位置します。古来ローマ帝国、ビザンチン帝国、オスマン帝国、イタリア、ドイツ、ソ連、中国など強国の支配や影響下に置かれてきたこの国では、作家・知識人あるいは亡命者といえども安閑としていることは許されませんでした。むしろ文化的リーダーであるからこそ、政治に関わらざるをえないのです。『庭』の作者コリチの活動も、同時代の政治の動きや世界情勢と密接に関わっています。

コリチは、アルバニア北西部のシュコドゥラに生まれ、七十一歳で亡くなるまでイタリアに長く暮らしました。二つの文化の媒介者であると同時に、作家、文学者、翻訳者、ジャーナリスト、教師、政治家と幅広い活動によって多方面に足跡を残しました。特に、第二次世界大戦前に、北部ゲグ方言文学の一つの頂点を築いた業績は注目に値します。しかし、戦後の社会主義体制下では、大戦中からイタリア占領時代にかけてファシスト政権に協力したとされ、「裏切り者」のレッテルを貼られました。また、スターリニズムに抗する政治理念を掲げていたこともあり、作品の多くは発禁となりました。戦後、南部トスク方言が公用語となったこともあり、コリチの作品は、一般に広く読まれてきたとは言えません。現在ではコリチ

エルネスト・コリチ

の作品を再評価すべきであると主張する研究者もあります。

『庭』は、一九二九年の短編集『山々の影』に収められた作品で、作者の境遇が色濃く反映されています。物語の舞台であるシュコドゥラは、古い歴史をもつ要塞都市です。昔、城の工事が難航し、石工（いしく）三兄弟の末弟の妻ロザファが生贄（いけにえ）として壁に生き埋めにされました。彼女は死んだ後も我が子に乳を与えることができるように、片方の乳房だけは埋めずにおいてくれるよう哀願しました。その後長く、壁から乳が滴り落ちたという伝説がよく知られています。物語の舞台は、そんな現実離れしたことも起こりそうな場所です。また、この物語を通して、人間の記憶の不思議についても考えさせられます。現代では、記憶は、不変不朽の「コンピュータメモリ」にたとえられます。しかし、人は、写真やデジタルメモリのように正確な記憶を永久に持続できるものでしょうか？　私たちは、もしかしたら記憶を反芻（はんすう）するたびに、都合よく歪曲（わいきょく）したり、あるいは美しく書き変えたりしているのかもしれません。記憶とは、主体によって無意識に更新される行為の集積、いわば「永遠に書き換えられる物語」でもあります。果たして、庭に現れたドゥシャは、不思議な夢幻（ゆめまぼろし）だったのか、それとも主人公の記憶が呼び起こした奇跡だったのでしょうか。

（小林）

アルバニア及び周辺国の地図

【庭】

「庭」は、屋内と屋外との境界に位置し、閉鎖性と開放性を合わせ持つ空間です。また、家事・農事が日常的に行われる場であると同時に、昔から行事や神事が営まれる場でもありました。すなわち、庭には日常性と非日常性という、相反する二つの性質があるのです。そのような空間に人間が鑑賞を目的として、意図的に噴水や花壇などの人工物を加え整備したのが庭園です。いわば「囲われた自然」「人工的な自然」です。「囲われた場」は、シンボリックな意味で母の胎内も思わせるでしょう。また、「エデンの園」の例のように、外界から守護される幸福な聖域である一方で、閉め出される場でもあります。

場の境界性、そして多様な意味での二重性――こうした多義性によって、庭や庭園は古来、洋の東西を問わず、多くの文学作品の「トポス（特別な場所）」となってきました。

本作では、主人公の庭にまつわる幼少時の記憶がノスタルジーとともに一つのファンタジーを呼び起こします。ルイス・キャロルの『不思議の国のアリス』（一八六五年）やバーネット夫人の『秘密の花園』（一九一一年）、フィリパ・ピアスの『トムは真夜中の庭で』（一九五八年）などに代表される児童文学においても、庭は日常と非日常が交錯するところ、不思議に満ちた奇跡の起こる場所なのです。

（小林）

フィリパ・ピアス
『トムは真夜中の庭で』
高杉一郎訳
岩波少年文庫

【民話】

「白雪姫」、「ヘンゼルとグレーテル」。グリム兄弟が蒐集した民話（メルヒエン）をみなさんも読んだことがあるでしょう。世界中の子どもたちに読まれている物語群ですが、グリム兄弟が民話の蒐集に注力したのは、じつは「ドイツ固有の文化」を求めてのことでした。一九世紀に、ナポレオンによる占領を経験したドイツ、そして大国による支配に長く苦しんできた東欧地域では、自分たちの民族文化への関心が高まりました。その中心にあったのが、民話、民謡です。

　コリチはアルバニアの伝統文化を現代文化に橋渡しした作家で、「庭」はまさにその典型的な作品と言えるでしょう。外国の大都会から田舎の故郷を訪ねる紳士という現代的なテーマは、幻想に溶けこんで、衝撃的な終わりを迎えます。主人公が見ている「白昼夢」はロシアや東欧の民話の「ポルドニツァ（真昼の女）」の引用と思われます。夏の真昼に現れて、病気や狂気をもたらす女性で、熱中症の擬人化と考えられています。ドヴォルザークの交響詩『真昼の魔女』の題材にもなりました。コリチはこのモティーフを個人の夢想として捉えなおし、現実と虚構のはざまに読者を誘います。民話は現代の作家たちにとって創作の源泉となっています。

（奥）

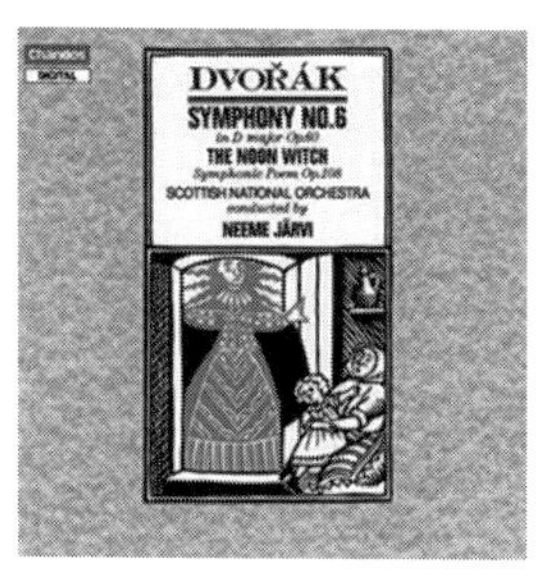

ドヴォルザーク『真昼の魔女』
スコティッシュ管弦楽団

ある本の来歴

イバン・サルドゥア
[訳] 金子奈美

テロリズムの容疑で一昨日逮捕された男が、部屋の中央で手足を縛られ、座り心地の悪そうな椅子に腰掛けている。全身にびっしょり汗をかいている。彼はふと顔を上げ、三十分前まで自分を拷問していた警官のほうを恐る恐る見る。目出し帽で顔を隠したその警官は、本を読んでいる。男の意識が戻ったことに気づいたそぶりはない。テロ容疑者は、警官が持っている本に見覚えがあることに気づき、唖然(あぜん)とする。同じパールグレーの表紙、同じ装画、同じタイトルと作家の名前。テロ容疑者もごく最近、その小説を読んだばかりだ。自分を拷問する人間が同じ小説を手にしているという事態が、彼にはうまく飲み込めない。警官の熱中ぶりを見て、自分も同じように夢中になってその本を読んだのを思い出す。読み終えてしまうのが惜しいと思いつつ、周囲のことすらほとんど忘れて読書に没頭したことを。

警官766635-Qは、その小説を一週間前にボーイフレンドから借りた。読書する時間はあまりないが、その本は読み始めてみてとても気に入ったので、こうした休憩時間に少しずつ読めるよう、職場に置いておくことにした。彼にそんな趣味があるとは知らなかった同僚たちは、76635-Qがデスクの引き出しから本を取り出すのを見ると笑いものにする。彼は意に介さない。この小説は特別だ。読み終えてしまうのが惜しい。そんなふうに感じるのは初めてのことだ。

警官76635-Qのボーイフレンド、A・J・Cはもっと読書家だ。彼の仕事（刑務所の職員）はもっと平穏で、手持ち無沙汰な時間が多い。本（や映画）の話をするのが好きなので、76635-Qにも読書熱を植えつけたいと思っているが、これまでの試みはあまり成功しなかった。実際、その小説でもうまくいくかどうかわからなかったし、今もわからない。というのも、本を貸した後、二人はまだ顔を合わせていないからだ。明日か明後日にでも会ったとき、76635-Qが読みかけの小説にどれだけ夢中になっているかを真っ先に話して聞かせたら、大喜びするだろう。A・J・Cはその本を、刑務所の第四棟で行なわれた立ち入り検査で、めちゃくちゃに引っかき回された独房の一つで見つけた。彼はその独房にいた囚人の名前も顔も、立ち入り検査で何か見つかったかどうかも覚えていない。記憶にあるのは、その小説を棚に見つけ、知っている作家の本だったので頂戴したということだけ。後悔はしていない。間違いなく、あの作家の最高傑作だ。

刑務所職員A・J・Cの記憶には残っていなくとも、ペドロ（これがその囚人の名前だ）のほうはあの立ち入り検査を、そしてその前にも幾度となくあった他の検査のこともよく覚えている。実を言えば、本を取られたことはさほど気にならなかったが（いつも挫折して読み終えられなかった）、本のあいだに挟んであったガールフレンドの写真も一緒に失くなったことは腹立たしい。ベニドルムとアリカンテの海辺で撮った、とてもカラフルできれいな写真だったのに。おまけに、あの立ち入り検査では小型テレビまで壊された。

ペドロの写真に笑顔で写っていたガールフレンドは、今さら彼のガールフレンドなどと呼ばれたら抗議するだろう。百歩譲ったとしても「元」ガールフレンドだ。サラ・フエンテスは、ペドロと同棲していたあの数か月を憎んでいる。ペドロのことも憎んでいる、あるいは憎んでいたが、その感情にもはや確信は持てない。もうずいぶん昔の話だ。彼女は今、実家に戻り、花屋でパートタイムの仕事をしている。もうヘロインはやっていないので、クスリ代のために窃盗を繰り返す必要はない。サラは、ペドロのもとを去るとき持ち出すのを忘れたあの本のことを、他にもあの家に置いてきたたくさんのものと一緒にすっかり忘れている。彼女はその本を市立図書館で盗んだ――今しがた警官76635-Qが、百十一ページの右下の隅に図書館の押印があるのを見つけ、そのことに気づいたところだ（さらに、同じスタンプが二百十一ページと三百十一ページにも押されているのを確認するだろう）。サラはそれを、新広場で毎週日曜に開かれる青空市で何度か売ろうとしたが、運に恵まれなかった。だが、デパートの書店で万引きしたマイケル・クライトンとバスケス＝フィゲロアのベストセラー小説は、彼女の手からもぎ取られるようにしてたちまち売れていった。

件（くだん）の小説が図書館に届いたとき、書誌情報を目録に登録し、百十一ページと二百十一ページと三百十一ページにスタンプを押したのが、アリシア・フェルナンデス・デ・ラレアだった（最初のページにも押印したのだが、サラが本を売りに出す前にそのページを破り取った）。アリシアは書誌情報を登録するとき、本の冒頭に目を通してみて、これはいずれ絶対に読まなくては、と思った。しかし、その思いを実現する時間はなかった。ある昼下がり、車で帰宅する途中、彼女の後ろを走っていた治安警察のパトカーが爆破された。治安警察隊員は無事だったが、アリシアは重傷を負い、五時間後に病院で亡くなった。

その爆弾テロへの関与こそ、今まさに警察が、部屋の中央で手足を縛られ、座り心地の悪そうな椅子に腰掛け、全身にびっしょり汗をかいた男に自白させようとしていることだ。しかし、テロ容疑者は、絶え間なく浴びせかけられた質問をすべて忘れ、警官が読んでいる本のことしか頭にない。あれほど夢中になって読んだ小説。男は微笑みに似た表情を浮かべながら、その本を買ったのは、作家が自分と同じ名字だったからだということを思い出す。そして、あのカフェの窓際の席で午前中いっぱい待機することになっていたので、きっと退屈を紛らわせてくれるだろうと思ったことも。

彼がそんなことを考えていたまさにそのとき、警官７６６３５-Qは本を閉じ、気の乗らない様子でしぶしぶと立ち上がる。

Iban Zaldua

イバン・サルドゥア（一九六六〜）

サルドゥアは、バスク語という少数言語を主な執筆言語とする作家です。バスク語とは、スペイン北部とフランス南西部に跨（またが）るバスクという地域の固有語で、周囲のヨーロッパ言語はおろか、世界のいかなる言語とも類縁関係が認められない、系統不明の言語です。現在、この言語の話者は百万人弱、バスク全体の人口の三割程度にすぎません。かつては広く話されていたものの、バスクがスペインとフランスという二つの国家に組み込まれていく過程で、社会の周縁に追いやられ、次第にスペイン語やフランス語に取って代わられてしまったからです。衰退の一途にあったバスク語の状況が大きく変化したのは、一九七〇〜八〇年代のことでした。スペインが独裁制から民主制へと移行したこの時期に、バスク語文化復興の機運が高まり、スペイン領バスクでバスク語が公用語化されます。それに伴ってバスク語教育が普及し、バスク語で書く作家がかつてなく増えたのです。そうして二〇世紀末にかけて急激な発展を遂げたバスク語文学は、国際的にも注目を集め、世界の約四十の言語に翻訳されています。日本語でも、ベルナルド・アチャガやキルメン・ウリベといった作家の作品を読むことができます。

イバン・サルドゥア
©Mikel Martinez de Trespuentes

サルドゥアが育ったのは、バスク語文学がまさに勃興しつつあった時代でした。スペイン領バスクの都市ドノスティア＝サンセバスティアンに生まれた彼は、母語のスペイン語でもいくつかの小説や評論を発表していますが、作品の大半は幼少期から学校で学んで身につけたバスク語で書き、短篇小説の第一人者として揺るぎない地位を築いています。本作は短篇集『嘘、嘘、嘘』（二〇〇〇）所収で、同年に刊行された自選短篇集や現代バスク語文学のアンソロジーにも収められ、スペイン語や英語その他の言語に翻訳されています。

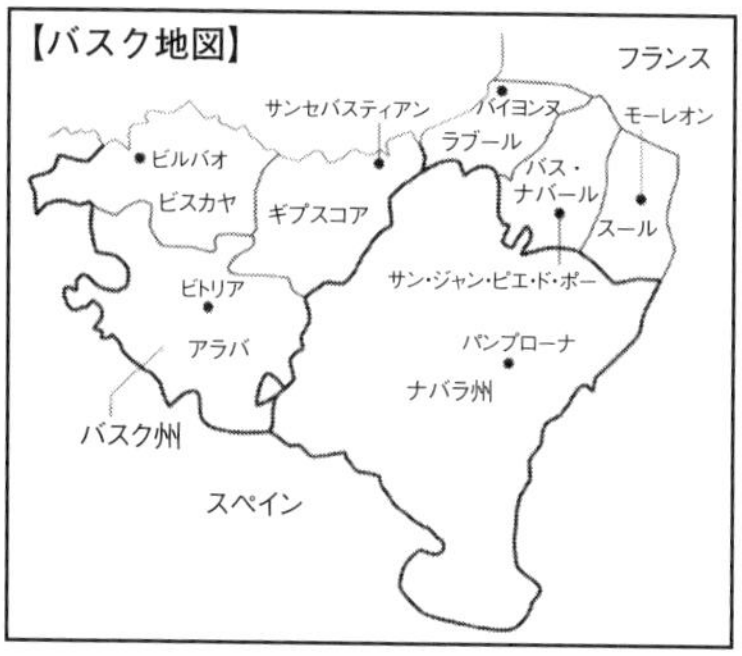

【バスク地図】
フランス
サンセバスティアン
バイヨンヌ
モーレオン
ビルバオ
ラブール
バス・ナバール
ビスカヤ
ギプスコア
スール
サン・ジャン・ピエ・ド・ポー
ビトリア
パンプローナ
アラバ
ナバラ州
バスク州
スペイン

読者の先入観を裏切るひねりの効いた展開、皮肉やユーモアに満ちた短篇を得意とするサルドゥアは、バスク大学の歴史学の教授という顔も持っており、彼の作品の多くはバスクの歴史や社会を題材としています。特に「バスク紛争」と呼ばれる、バスク独立を掲げたＥＴＡ（祖国バスクと自由）のテロリズムをめぐる諸問題は、彼の短篇で繰り返し扱われてきたテーマです。ＥＴＡは二〇一一年に武力闘争の恒常的放棄を宣言し、暴力や恐怖と隣り合わせの日常は既に過去のものとなりましたが、数十年にわたったテロの時代は、バスク社会に深い傷跡を残しました。本作で作者は、一冊の本とその読者たちの来歴を淡々と描き、ある爆弾テロの容疑者と犠牲者の人生を読書という人間的な営みを通じて交錯させることで、テロの非人道的な残酷さを浮き彫りにしています。

（金子）

【名前】

名前は、文学作品の解釈の糸口としてとても有効な着眼点の一つです。親が子供にさまざまな思いを込めて名前をつけるように、作家は自分の作品の登場人物を造形するにあたり、その人物にふさわしい名前を与えようとさまざまな工夫を凝らすものです。どんなに平凡に見える名前でも、イニシャルや記号であっても、または名前が明示されない場合でも、そこに作者が狙ったであろう何らかの意味や効果を読み取ることが可能です。

本作は、登場人物の名前がそれぞれ違ったかたちで言及されていることが特徴的です。まず、匿名のテロ容疑者が現われますが、現実世界でも事件の容疑者が匿名で報道されることはよくありますす。こうした名前の扱いは、作品のリアリズムを強調する効果を持っていると言えます。次に、警官は数字とアルファベットで、刑務所の職員はイニシャルで呼ばれていますが、これは彼らが顔の見えにくい没個人的な組織に属していることと関係がありそうです。その後はかなりありふれた名前が続き、この人たちがどこにいてもおかしくない、ごく平凡な一市民であることを示唆するかのようです。そのなかで、最後に登場する女性のみ完全なフルネームが与えられていることは、テロ事件に巻き添えになり無惨にも命を奪われた犠牲者に対する、作者の特別な眼差しを感じさせます。

（金子）

「ある本の来歴」が
収録された短篇集
『嘘、嘘、嘘』
（バスク語原書）

【テロリズム】

9・11アメリカ同時多発テロ（二〇〇一）を契機にイスラーム過激派によるテロ事件がグローバルに拡大したことで、テロリズムという用語は一気に身近なものとなりましたが、テロは二一世紀になって突然出現したわけでも、イスラームと結びついた現象でもありません。テロリズムは一般的に、何らかの政治的な目的で、広く市民に恐怖を抱かせることを意図した組織的な暴力行使とされますが、二〇世紀を通じて、世界各地にはさまざまな国内情勢や地域紛争を背景にもつテロの嵐が吹き荒れました。本作で描かれるバスクの武装組織ETAによるテロリズムは、なかでも国際的に知られたものの一つです。

ETA（一九五九年結成、二〇一八年解散）はスペインの独裁体制下における弾圧に対抗して結成され、バスク独立を掲げて武力闘争を繰り広げ、七〇〇名以上の死者を出しました。この掌編で、作者はバスクにおいてテロが拡大するに至った背景には触れていませんが、テロに日々直面してきた社会の現実を鮮やかに切り取っています。テロリストとはどんな人間なのか、暴力を行使するのは誰なのか、テロがどのように一般市民を不意打ちするか、テロが頻発する日常とはどんなものなのか。文学作品は、具体的な人物や状況を描き出すことによって、私たちに出来事の裏側を想像するよう促してくれるのです。

（金子）

ETA（祖国バスクと自由）
2011年に武力闘争の恒久的放棄を宣言した。

ひとりで学べるアラビア語

アル＝マーズィニー
〔訳〕鵜戸聡

あるとき、本屋の前で立ち止まって、ガラス越しに展示品をじっと眺めていたところ、「外国人が教師につかなくてもアラビア語を学べる」という小さな冊子をわが眼が捉えた。そこでわたしがこの大胆さに締め付けられるような思いがしたのは、この言語を教えるのに教師たちが悪戦苦闘している労苦が脳裏をよぎったからだった。そのことに苦しんでいるのは、努力して教養人とも詩人ともなったわれわれなのだ。いや、くだくだしくは言うまい。わたしはこの本を高値で購い、カフェの隅に腰かけてページをぱらぱらめくり始めた。そうしたらなんと、単語と会話が英語とアラビア語の対訳で載っているだけではないか。わたしは気前よく金を費やしたことを悔やみ、こいつをどうしてくれようかとあれこれ考えた。損した分をどうやって穴埋めしよう？

まことに神は寛大にして、わたしのような貧乏人に銭失いはさせぬもの――たとえそれが小銭だとしても。そこでわたしは自分以外のエジプト人が夢にも思わず望みもせぬような楽しみをこの本から引き出そうとの霊感を得た。それは、自分を「マルタ人」ということにして、この本をわたしの案内人とし、市内観光に関する会話を本の文章と表現に限るというものだ。

「観光客」であるからには、入り組んだ街の通りはよそものを迷わせるものだし、――本の勧めに従って――「馬車」に乗り、この贅沢な必要経費を耐え忍ばねばならないのだ。そこで一二頁を開くと馭者との会話が載っているから、わたしは「停車場」に向かい、この幸運な機会のために特別に購入したステッキで指し示して、もつれた舌で「ギョシャよ」と叫んだ。すると馭者は二頭の馬を煽ってこちらに走らせた。彼がやってきたところで、わたしは呼びかけに続くべき二番目の文を本のなかに探し求め、彼の方に顔を上げて「バシャをもってコイ」と言った。

まるでわたしがその男の顔をひっぱたいたかのようだった。彼は土砂降りのようにわたしの解らぬ言葉を浴びせ始めた。というのもわたしはこの国で外国人ということになっているのだから。しかしながら、わたしにはその男の訛り(なま)も身振り手振りも明らかだった。その言わんとすることは大変すばらしいもので、わたしのセリフがまるでそれまでの人生でこんなに嬉しいことは一度もなかったかのように彼を喜ばしたのだ。

わたしは本に立ち戻り、そこに問題を解決してくれるだろう三番目のセリフを求めて言った。

「ギョシャよ、アいてるカ?」

するとなぜか解らぬが、馭者は苛立(いらだ)たしげな視線をわたしに投げかけ、それから目線と両手の平を空に上げて、辺りの人々に叫んだ。そのうちの二人がわたしの周りを取り囲み、片方がフランス語で話しかけてきた。そこでわたしが首を振ると、こんどはギリシア語で話し出したのだが、わたしは首を振り続けた。もう片方がイタリア語を試してみたので、わたしは指を振って否定した。こんなことが続くのを恐れたわたしが英語で答えると、彼は驚いて上から下までわたしを見回した。モメるのはよそうと言って、わたしは乗りこんで——教本の例文を二つ飛ばして——馭者に言った。「よろしい。わたしをエきまで連れてゆけ」。

すると馬車は出発した。わたしは他のところがよかったのは言うまでもないが、教本にそう書いてあるのだから仕方がない。我々が到着すると、わたしは降りずに彼に叫んだ——ガイドブックを引用して――「代金はいくらだ？」。

その本に拠れば、彼はこう言わねばならなかった。「一シリングです」(1)。しかしながら彼は半リヤル(2)を欲した。わたしは驚愕（きょうがく）して本の表紙に出版年を探し、一九二六年と書いてあるのを見つけた。わたしは内心、きっとこの本が出版された後にこの国では物価が上がったんだろう、と思った。そしてわたしは、本が要求しているように、彼と交渉せねばならなかった。そこで言った。「それは高すぎる」。

そして、その本に書かれているように、わたしの指摘に対する彼の答えは、「料金表の通りです」となるべきであった。しかし、彼はそうする代わりに、わたしをののしり、罵倒し、わたしの祖先たちを呪い始めた。彼の粗野な言葉をわたしがかけらも知らぬことに安心しきっているのだ。しかたなくわたしは彼の呪詛（じゅそ）をしかるべき返答とみなして、その本の通りに「六キルシュ白貨ダケだ」と言った。

彼はわたしに呪いの言葉を投げかけ、そして「カネをよこせ」と言った。

その際、わたしは「よこせ」は理解した。というのもそれは教本に載っているからだ。そして「カネ」の方はおそらく感謝か呪詛の言葉だろうと思って飛ばして、彼に六キルシュ白貨を手渡した。なんと彼は地面に跳び降りて、わたしの上着のポケットを引っ張り、あらゆる世代の人間を呪うに足る言葉をわたしに浴びせかけた。まあなんたる浪費か、こんちくしょう。笑いと怒りと恐れがわたしを襲ったが、わたしは自分の感情を制して眼を本にやり、それから彼に向かって顔を上げ、「ビョウインに連れてけ」と言った。

すると彼は言った。「病院だと？　なんてことだ、みんな。さあ見ろよ、こいつを。おれが怪我させたなんて言ってやがる……」それからのなんだかんだは、読者のご想像の通りだから描写の必要はあるまい。

わたしはそんなことをちっとも要求していなかったし、そうすべきいかなる危機にも瀕していなかったが、教本は駅に行った後に病院に行くよう要求していた。そんな必要はなかったのだが、そういう願いがあり望まれたことがなされたのだ。そしてわたしは断固として病院の次の文に移り、「よろしい、田舎でピクニックをしよう」と言った。

馭者はののしるべきか笑うべきか判らなかった。そしてわたしを少しばかり眺めてからいった。「なあ、おまえ……病院のあとにピクニックに行くのかい？」

彼が自分の座席に上がる間に、わたしは下りていた。彼は驚いて振り向いた。そこでわたしは彼に一〇キルシュを支払ってこう言った。「許してくれ、冗談なんだ」。すると彼は慌てて自分の罵詈雑言を詫びるのだった……

この本の効用はわが真実から汲み取られた他の空想にても試してみることにしよう。

（1）イギリスの補助通貨。一ポンド＝二〇シリング。
（2）エジプトの通貨。一リヤル＝二〇キルシュ。

إبراهيم عبد القادر المازني

イブラーヒーム・アブドゥルカーディル・アル＝マーズィニー（一八九〇～一九四九）

アラビア語とはいかなる言語なのでしょう。アラビア半島から北アフリカに至る広大な地域の公用語である「正則アラビア語」は、聖典コーランの言語を受け継ぐ「古典アラビア語」を若干整備したもので、日々の生活で話されている「口語アラビア語」（地域ごとに異なるためそれぞれ「エジプト方言」や「レバノン方言」などと呼ばれます）とは相当かけ離れたものなのです。そして、文学作品のほとんどはこの正則語で書かれており、高度な教育を受けた人でなければ十分な読み書きが難しいという事情があります。

さて、本作にはアラビア語の教科書が出てきます。本である以上、原則として正則語で書かれているはずですが、旅行会話を教えるため例外的に口語表現も記されているようです（エジプト方言や外国人なまりのセリフは訳文でカタカナにしてあります）。悪ふざけする主人公は本を読んだり買ったりする知識人ですが、馭者を始めとする市井の人々はアラビア語の読み書きはできなかったでしょう。普段は書かれることのない口語を文字のみで（発音してくれる教師なしに）教えようという野心的？な教本なのです。

二〇世紀前半のエジプトは事実上イギリスの支配下に置かれていましたが、アラブ世界の近代化をリードする存在で、明治・大正の日本文学のように、西欧からもたらされた小説や演劇が独自の発展を見せていました。ただし、日本や中国で「言文一致」した新しい現代語が創られたのに対して、アラビア語圏では宗教的権威を帯びた古典語が存続したため、「話し言葉」とは異なる言語で小説が書かれることになりました。『源氏物語』の言葉で現代小説を書くようなものですから、表現はいささか堅苦しく、書き手はもちろん読み手にも教養が求められます。冒頭の「悪戦苦闘」とは、アラブ人にアラビア語を教える困難を意味しているのです。

アラブ古典には「楽しませながら教える」という教養文学の伝統がありますが、近代小説もいわば「文明開化」の新しい価値観を率先して流布するものでした。作者のマーズィニーは、一九三〇～四〇年代にこの新しい文学を牽引したエジプト作家の一人であり、(伝統的な宗教学校ではなく)高等師範学校で英文学を学びます。英語を通じてシェイクスピアやシェリー、スコットやディケンズを発見するとともに、ジャーヒズやムタナッビーの著作に親しむなどアラブ古典の素養も備えていました。アルツィバーシェフやツルゲーネフといったロシア作家を愛読し(前者は森鷗外、後者は二葉亭四迷の翻訳があります)、マーク・トウェインの『地中海遊覧記』に想を得て『ヒジャーズ旅行記』を発表するなど、その肖像は明治の文豪のようでもあります。

(鵜戸)

イブラーヒーム・アブドゥルカーディル・アル＝マーズィニー

【よそもの】

物語はしばしば異変から始まります。普段の生活に波乱が生じ、その原因となった問題が解決されて平穏が訪れるまでの一連の出来事が、多くの物語を形成しているのです。変わりばえしない世界に変化をもたらすのは往々にして「よそもの」です。桃から生まれた桃太郎も、竹取物語のかぐや姫も出自からして異質な存在でした。「よそもの」の主人公が活躍する物語もあれば、「よそもの」がきっかけとなって事件が起こることもあるでしょう。あるいは、異なった視点をもたらす語り手としても「よそもの」は機能します。

例えば題名からして「よそもの」である『異邦人』（カミュ）という小説は、社会の「常識」に同調できない主人公が、故郷にありながら「よそもの」になってしまいます。一方、カフカの『変身』では、主人公はある朝「大きな虫」に変身してしまい、本人の意思に反して「よそもの」的身体を抱え込むことになります。

本作では、主人公が「よそもの」を偽装することによって、ちょっとしたドタバタ劇を引き起こしますが、そこに描かれるのは言葉の通じない「よそもの」の世界の疑似体験であり、勝手知ったるカイロの街を他者の視線から見てみようという試みでもあったわけです。

（鵜戸）

アルベール・カミュ
『異邦人』
窪田啓作訳
新潮文庫

【外国語】

エジプトの話し言葉は「エジプト方言」ですが、書き言葉は古典語を継承した「正則アラビア語」で、同一言語の二変種が社会に共存しています。また、二〇世紀前半のカイロやアレキサンドリアにはたくさんのギリシア人やレバノン人あるいはイタリア人が暮らしており、エジプト人も含めて日常的にフランス語を使用している人たちもいました。

本作でも、馭者たちがフランス語、ギリシア語、イタリア語の順で話しかけてきますので、当時のカイロっ子たちにとってこれらが代表的な「外国語」であったことが分かります。日常的に様々な「外国語」に触れ、カタコトを話しもする馭者たちですが、ミスコミュニケーションを物ともせず、強引にでも仕事を進めてしまう彼らにとって、言葉が通じないなど大したことではないようで、むしろ日々の生活のリズムに従って生きることへの信頼のようなものが窺えます。

実際、口語は地域差が大きいので、アラブ人同士でもよそものとの会話が通じにくいことなど当たり前なのです。この辺の事情はスラブ語話者間の「お互いに分かるような分からないような感覚」に近いかもしれません。映画にもなったチェコの小説『コーリャ 愛のプラハ』(ズデニェック・スヴェラーク)では、ロシア人の少年とチェコ人の男の間で同じ語源だが「赤い」「きれい」と意味が分かれた言葉をめぐって微笑ましい誤解が繰り広げられます。

(鵜戸)

ズデニェック・スヴェラーク
『コーリャ 愛のプラハ』
千野栄一訳
集英社

ジル・ブラルタル

ジュール・ヴェルヌ
［訳］三枝大修

一

少なくとも、七〇〇から八〇〇はいた。背丈は中くらいだが逞しく、身軽でしなやかな体をもち、途方もない跳躍を得意とする連中が、錨地の西に並んだ山々の向こうへと沈む、太陽の残照のもとで跳ねまわっていた。赤みを帯びた円盤はじきに姿を消し、遠くにあるサノーラ、ロンダの連山とエル・クエルボの荒地とに囲まれた、この窪地の真ん中が暗くなりはじめた。

不意に、一団全体の動きが止まった。山の稜線をなす、痩せたロバの背のような丘の上に、彼らの頭目が姿を現したのだ。巨大な岩のてっぺんに位置する兵隊の詰所からは、樹々の下で起こっていることが何も見えなかった。

「スリッス！……スリッス！」という音を頭目が発した。小さくすぼめられた唇が、この風切り音をすさまじく強烈なものにしていた。

「スリッス！……スリッス！」完璧に息を合わせて、この風変わりな一団は繰り返した。

おかしな男だった、この頭目は。長身で、猿の皮を、毛を外側にして着こみ、手入れのされていない髪はぼさぼさ、顔には短いあごひげが突き立ち、裸足（はだし）ではあるが、足の裏は馬の蹄（ひづめ）のように硬い。

男は右腕をあげ、山の低い方の峰へと伸ばした。すると、すぐに全員が軍隊のような精確さで、より正確に言えば機械のような精確さで、その身ぶりを真似た――同じバネ仕掛けで動く、正真正銘の操り人形（マリオネット）なのだ。男が腕をおろす。すると、彼らもみな腕をおろした。男が地面にかがむ。すると、他の連中も身をかがめて同じ姿勢をとった。男が堅い棒を拾い、それを振り回す。すると、彼らもまた棒切れを振りかざし、頭目に倣（なら）って回転斬りを実践した――棒術家たちが「薔薇覆い（ローズ・クヴェルト）」(1)と呼ぶ、あの回転斬りである。

それから頭目は、体の向きを変えて草むらに滑りこみ、樹々の下を腹這いになって進んだ。一団も、腹這いになって彼のあとに続いた。

一〇分もかかることなく、雨水に溝をうがたれた山道が、下まで一気に踏破された。小石のぶつかる音で、前へ前へと進むこの集団の存在が暴かれるようなことはなかった。

一五分後に、頭目は足を止めた。他の連中も全員、その場で固まってしまったかのように足を止めた。

二〇〇メートル下方には、薄暗い錨地に沿って横たわる街の姿が見えていた。埠頭(ふとう)、家屋、別荘、兵舎の雑然たる集まりを、たくさんの灯火が点々と輝かせていた。その向こうでは、沖合に停泊する商船や艀船(はしけぶね)の灯、軍艦の舷灯(げんとう)が、静かな水面に反射していた。さらに遠くでは、灯台が、エウロパ岬の突端から海峡に光の束を投げかけていた。

そのとき、砲声が轟(とどろ)いた。接地射撃用の大砲が一台、「日暮れ時の号砲(ファースト・ガン・ファイヤー)」を放ったのだ。するとすぐに、ファイフ(2)の鋭い響きに伴われて太鼓を連打する音が聞こえた。

帰営の時刻、自宅に戻らなければならない時刻だった。駐留部隊の将校に付き添われないかぎり、これ以後、外国人が街を歩き回ることは許されない。船員たちにとって、それは、門が閉まる前に帰船せよ、という命令だった。一五分ごとに警邏隊(けいらたい)が巡回し、帰りの遅くなった者や酔っぱらいが詰所へ連行された。それから、どこもかしこもが静まりかえった。

マカックメイル将軍(3)は、枕を高くして眠ることができた。

その夜、ジブラルタルの岩に関しては、英国に憂慮すべきことがあるなどとは思えなかった。

二

このすさまじい巨岩がどんなものであるかは、ご存じのとおりである。高さが四二五メートルあり、全長四三〇〇メートル、幅一二四五メートルの土台のうえに載っている。頭をスペインの方へ向け、尻尾を海に浸して横たわる巨大なライオンに少しばかり似ている。その顔には牙が覗き——銃眼越しに外に向けられた、七〇〇門の大砲だ——老婆の歯と呼ばれている。ご機嫌でも損ねようものなら、猛烈な勢いで嚙みついてきそうな老婆だ。だから英国は、ペリム島、アデン、マルタ、ペナン、香港[4]と同じく、ここでもまた盤石の警備態勢を敷いているのである。いつの日にか、機械工学が進歩したら、これらの岩山はことごとく回転式の要塞にされてしまうだろう。

目下のところ、連合王国は、ヘラクレスの棍棒が地中海の最奥部、アビラとカルペのあいだに切り開いた一八キロメートルに及ぶこの海峡を、ジブラルタルのおかげで確実に支配している。[5]

スペイン人たちは、彼らの半島のこの切れはしを奪い返すのを諦めたのだろうか？ きっと、そうなのだろう。というのも、陸からであれ、海からであれ、どうやらそこは攻略不可能のように思われるから。

とはいえ、攻撃にも防御にも適しているこの岩を奪回してやろうという偏執的な考えにとり憑かれたスペイン人が、一人いた。それは、例の集団の頭目であり、変人、あるいは狂人と言ってもよかった。その郷士（イダルゴ）の名前は、ずばり、ジル・ブラルタルといった。この名こそが、どうやら彼の観念の中で、愛国心あふれる例の征服へと、彼を導いていたのだ。その頭脳は、この考えに対していささかも抗うことがなく、そのままいけば、彼の居場所は精神病院になっていたはずである。彼は、巷（ちまた）ではよく知られていた。ところが、一〇年前から、消息がよく分からなくなっていた。ひょっとしたら、世界のあちこちをさまよい歩いているのだろうか？　実を言えば、先祖伝来の自分の土地を、まったく離れていなかったのである。木立の下で、洞窟の中で、また特に、海に通じているという噂のある、サン・ミゲルの洞窟という近寄りがたい隠れ家の奥で、彼は穴居人（けっきょじん）[6]の生活を営んでいた。死んだと思われていたが、生きていたのだ。もっとも、人間的な理性をもたず、もはや動物の本能にしか従うことのない、野蛮人（オム・ソヴァージュ）[7]のような暮らしぶりではあったが。

三

じつによく眠っていた、マカックメイル将軍は、規格外に長い耳を、両方とも枕にうずめて。腕はばかに太く、まるい目がごわごわの眉の下に落ちくぼみ、顔は硬いあごひげに縁どられ、表情ときたらしかめ面ばかり、身のこなしは猿人さながら、あごの骨が異様に突き出しており、彼はすさまじく醜かった――英国人将校の中でも特に。まさしく猿そのものなのだが、ただ、猿そっくりの外見にもかかわらず、軍人としては優れていた。

そうだとも！　彼はメイン・ストリートの、つまり、海の門からアラメダの門まで街を突っ切るあの曲がりくねった通りの、快適な自宅で眠っていた。ひょっとすると、英国がエジプトを、トルコを、オランダを、アフガニスタンを、スーダンを、ボーア人(8)の国を、要するに、地球上のあらゆる場所を勝手気ままに占領する、そんな夢を見ていたのかもしれない――じつはそのとき、英国は、ジブラルタルを失うおそれさえあったのだが。

突然、寝室のドアがひらいた。

「何事だ？」と跳ね起きて、マカックメイル将軍が訊いた。

「将軍殿」魚雷弾(9)のように入ってきた副官が答えた。「街が侵略されております！……」

「スペインの奴らか？……」

「そう考えざるをえません！」

「奴らめ、厚かましくも！……」

将軍は、口にしかけた台詞を言い終えることなく立ちあがり、頭に巻いていたマドラス織の頭巾を投げ捨てると、ズボンをひっかけ、軍服に体を押しこみ、軍靴(ぐんか)に足をおろし、軍帽をかぶり、剣を腰に留めたのだが、そのあいだも口を休めることはなかった。

「いま聞こえている、この音は何だ?」

「岩のかたまりが、雪崩のように街を転がっている音です」

「連中の数は多いのか?……」

「多いにちがいありません」

「じゃあ、きっとこの奇襲のために、沿岸の悪党どもが残らず集まったんだな? ロンダ(10)の密輸人やら、サン・ロケ(11)の漁師やら、村にうようよいる亡命者やら……」

「残念ながらそのようです、将軍殿!」

「で、総督にはもう伝えてあるのか?」

「いいえ! エウロパ岬のお邸まで、たどり着けないのです! 門はどれも占拠されておりますし、通りにも侵略者たちがいっぱいで!……」

「それなら、海の門の兵営は?……」

「どうやっても、たどり着けません! 砲兵たちも、兵舎で包囲されているようです!」

「おまえのところには、何人いる?……」

「二〇名ほどです、将軍殿、何とか逃げてこられた、第三連隊の歩兵たちです」

「畜生め!」とマカックメイルが叫んだ。「あんなオレンジ売りどものせいで、ジブラルタルが英国から奪われるなんて!……そんなこと、させるもんか!……そうだとも! そんなことはさせないぞ!」

そのとき、寝室のドアがひらき、おかしな男が入ってきて、将軍の肩に飛びかかった。

四

「降伏しろ！」男はしゃがれ声で叫んだ。それは、人間の声というよりはむしろ猛獣のうなり声を思わせた。

副官に続いて駆けつけてきた何人かが、いまにもつかみかかろうとしていたそのとき、部屋の明かりで、彼らはその男が誰なのかを見てとった。

「ジル・ブラルタル！」兵士たちは叫んだ。

事実、それは彼だった。もう長らく誰の考えにものぼることのなかったあの郷士(イダルゴ)、サン・ミゲルの洞窟の野蛮人だったのだ。

「降伏するか？」と彼はわめきちらしていた。

「まさか！」マカックメイル将軍が答えた。

兵士たちが取り囲もうとしていると、不意に、ジル・ブラルタルは鋭く長く、「スリッツス」の音を発した。

すぐに家の中庭が、ついで家そのものが、侵略者の群れでいっぱいになった……。

信じていただけるだろうか？　それはモノ[12]だった、猿だった、何百頭もいたのだ！　ということは、自分たちこそが真の所有者にほかならないあの岩山を、英国人の手から取り戻しにきたのだろうか？　スペイン人よりもはるか以前から、クロムウェルがグレート・ブリテン島のために征服してやろうと夢見るよりもはるか以前から、彼らが占領していたあの山を？　まさに、その通りなのだ！　そして、数が多いだけに手強かった、尻尾をもたないこの猿どもは！　一緒に仲よく暮らそうと思ったら、畑を荒らすことくらいは大目に見てやらなければならない。それに、賢くて大胆不敵なこの連中をいじめるなんて、とんでもない話だ。というのも――何度かそんなことがあったのだが――巨大な岩をいくつも街に転げ落として、復讐してくるのだから！

いまや猿（モノ）どもは、彼らに劣らず野蛮な狂人の、つまり彼らと同じく独立独行の生活を営み、気心も知れているあのジル・ブラルタルの、兵士となっていた。四手類[13]と化したこのウィリアム・テルの全人生は、ひとえに、スペインの領土から外国の連中を追い払わなくては、という考えに集中していた！

もしもこの試みが成功してしまったら、連合王国にとっては何という恥辱だろう！　インド人、アビシニア人、タスマニア人、オーストラリア人[14]、ホッテントット[15]、ほかにも多くの民族を打ち負かしてきた英国人が、ただの猿（モノ）たちに打ち負かされるなんて！

もしもそんな大惨事が起こったら、マカックメイル将軍はもう自分の頭を銃で吹っ飛ばすしかないだろう！　こんな不名誉を被りながら、おめおめと生きながらえるわけにはいかない！

ところが、頭目の発する風切り音に呼ばれた猿どもが寝室になだれこむ前に、何人かの兵士が首尾よくジル・ブラルタルに襲いかかった。この狂人は怪力の持主であり、抵抗したので、苦労の末に、ようやく押さえつけることができた。この闘いの最中に、借り物の皮がひっぺがされたので、彼は部屋の隅で裸同然となり、猿ぐつわをかませられ、縄で体を縛られて、身動きすることも、声を出すこともできなくなった。それからほどなくして、マカックメイルが家の外に飛び出していったのだが、軍人特有の言い回しでいえば、勝利か死か、という覚悟を決めてのことだった。

だが、外はなおも大いに危険だった。たしかに、何人かの歩兵が海の門に集結できたらしく、そこから徒歩で将軍の家に向かっていた。メイン・ストリートやコマーシャル・スクエア[16]では、しきりに銃声が轟いていた。しかし、猿(モノ)の数はあまりにも多く、ジブラルタルの駐屯地は、じきに彼らに陣地を明け渡さざるをえなくなるおそれがあった。そうなると、万が一、スペイン人たちがこの猿の群れと共同戦線を張った場合、砦は打ち捨てられ、砲列は放棄され、堡塁(ほうるい)にはもはや一人の守備兵もいない、ということになるだろう。そして、英国人は、いったん難攻不落のものに仕立てあげてしまった以上、もうこの岩山を奪い返すことはできなくなるにちがいない。

突然、旗色が変わった。

中庭を照らす松明(たいまつ)の薄明かりに、猿(モノ)たちが退却するのが見えたのだ。群れの先頭を頭目が歩き、棒切れを振り回していた。全員がその腕や足の動きを真似しながら、同じ足どりであとに続いていた。

ということは、ジル・ブラルタルは縛め(いまし)を解き、監禁されていた寝室から逃れることができたのだろうか？ そのことは、もう疑いようがなかった。だが、今度はどこへ向かおうとしているのか？ エウロパ岬の方へ、総督の邸宅へと向かい、攻撃をしかけて、すでに将軍に対してしたように、総督にも降伏を迫ろうとしているのだろうか？

いや！ 狂人とその一味はメイン・ストリートをくだっていた。そして、アラメダの門を越えたあと、全員が斜めに公園を突っ切り、山の斜面を登っていった。

その一時間後、ジブラルタルの侵略者たちは、街にはもう一頭も残っていなかった。

いったい何が起こったのか？

それはじきに、マカックメイル将軍が公園の端に姿を現したときに、人の知るところとなった。

捕虜の着ていた猿の皮に身を包み、狂人の代わりに一団の退却を指揮したのは彼だったのだ。この豪傑は、四手類の獣にそっくりだったから、本家本元の猿(モノ)たちも、その見かけに騙(だま)されてしまったのである。そんなわけで、彼としてはただ姿を見せるだけで、猿の群れを導いていくことができたのだ！……

まったくもって、天才的な思いつきである。それは、聖ジョージ十字勲章が送り届けられることで、すぐに報いられた。

一方、ジル・ブラルタルはどうなったかというと、連合王国は現金と引き換えに、かの有名なバーナム[17]に彼を譲り渡した。バーナムは、新旧両世界[18]の主要都市に彼を引っぱり回し、それで財を築いている。しかも、自分が見世物にしているのはサン・ミゲルの野蛮人ではなく、マカックメイル将軍その人なのだと、進んでほのめかしさえしているのだ。

とはいえ、この椿事（ちんじ）は〈慈愛深き陛下〉[19]の政府にとって、一つの教訓となった。ジブラルタルは、人間に奪われることはありえないが、猿の群れにはいいように翻弄されてしまう、ということが分かったからだ。そのため、現実感覚にすぐれた英国は、今後はもう将軍たちの中でもいちばん醜い者しか派遣しないことにした。そうすれば、猿（モノ）たちがまた見まちがえてくれるかもしれないから。

どうやらこの措置のおかげで、英国によるジブラルタルの領有は、永遠に安泰ということになりそうである。

（1）フランスの棒術・杖術の技の一つ。棒や杖を頭部のまわりで高速回転させ、一種の防御壁をつくる。
（2）主に軍楽隊で用いられていたフルートの一種。

（3）この将軍の名前（Mac Kackmale）は、おそらく英単語の「macaque」（オナガザル科マカク属の猿）と「male」（オス）を組み合わせたもの。なお、ジブラルタルに生息する猿は「バーバリーマカク」なので、まさしくマカク属に含まれる。

（4）いずれも当時は英国領。ペリム島とアデンは現在はイエメンに属する。ペナンは現在マレーシアの一部であり、マレー語の名称は「プラウ・ピナン」（「檳榔樹（びんろうじゅ）の島」の意）。

（5）ギリシャ神話によれば、ヘラクレスが棍棒で山を叩き割ることで大西洋と地中海とがつながり、ジブラルタル海峡ができたという。この海峡の入り口をなす二つの岬のうち、南の方の古名が「アビラ」、北の方の古名が「カルペ」。

（6）自然のほら穴や人造の穴を住居として生活する、主に先史時代の人々のこと。

（7）中世ヨーロッパの伝承に登場する神話的形象。全身が毛むくじゃらで、手には棍棒をもつ。

（8）オランダ系南アフリカ人。

（9）標的の装甲板や防御壁を貫通してから爆発する徹甲弾の一種。魚雷に似ているため、この名が付けられた。本作品が書かれた一八八六年の時点では、最新兵器の一つだった。

（10）ジブラルタルの北東にあるスペインの街。

（11）ジブラルタル近辺にあるスペインの街。

（12）モノ（mono）はスペイン語で「猿」の意。ジブラルタルの岩は野生の猿の生息地として名高い。

（13）猿、ナマケモノ、カメレオンなど、物をつかむことのできる構造の「手」を四肢のすべてに備えている動物。ここでは「猿」を言い換えている。

（14）英国は、タスマニア島、オーストラリアを植民地化し、一八世紀から一九世紀にかけて先住民を虐殺している。

（15）アフリカ南西部に住む遊牧民族コイ族の俗称。「どもる人」を意味するボーア語の蔑称なので、現在はほとんど用いられない。

（16）ジブラルタルの街の中心にある広場。現在のジョン・マッキントッシュ・スクエア。

（17）フィニアス・テイラー・バーナム（一八一〇〜一八九一）。アメリカの有名な興行師。

（18）「旧世界」は大航海時代以前にヨーロッパ人に知られていた土地、すなわちヨーロッパ、アジア、アフリカを、「新世界」は南北アメリカ大陸とオセアニアを指す。
（19）英国の国王・女王に対する尊称。

Jules Verne

ジュール・ヴェルヌ（一八二八〜一九〇五）

本作品を書いたジュール・ヴェルヌは、一九世紀の後半から二〇世紀の初めにかけて活躍したフランスの小説家です。その作品の多くは『教育と娯楽』という児童向けの雑誌に連載され、「娯楽」としての魅力はもちろんのこと、「教育」効果をも備えた読み物として人気を博しました。

というのも、《驚異の旅》と題されたヴェルヌの小説シリーズは、物語の舞台がほぼ地球全体に――ときには宇宙空間にまで――及ぶため、読めば自然に、楽しみながら、世界各国の地理や歴史を学んだり、天文学や博物学の知識を身につけたりすることができたからです。日本でも相当数の作品が翻訳されているうえ、代表作のいくつかは青少年向けの文庫にも収められているので、子どもの頃に『十五少年漂流記』や『神秘の島』を読んだことがある、という方も多いかもしれません。特に「ネモ船長」や「ノーチラス号」の出てくる傑作『海底二万里』の作品世界は、近年、東京ディズニーシーのテーマポートや宝塚の舞台にも活かされており、ヴェルヌとその作品は、二一世紀の日本の文化にも影響を与え続けていると言えるでしょう。

さて、短篇小説「ジル・ブラルタル」に描かれているのは、スペインのほぼ南端に位置する小さな半島、ジブラルタルの領有権をめぐるいざこざです。この土地は、一八世紀の初めにイギリスが占領し、現在もそのまま英国領になっているのですが、スペインの方でも決して手放したわけではなく、現在に至るまで返還を求め続けています。つまり、ジブラルタルは三〇〇年にも渡る領有権争いの舞台なのです。

ジュール・ヴェルヌ

一八八七年に発表された本作品の中でも、この土地の支配者はイギリス人。かたや、愛国心に燃える一人のスペイン人が、強力な援軍を得て、それを取り返そうとします。

こうして、いわばジブラルタルの新旧の領有者たちが対決するわけですが、両軍の戦闘とその顛末（てんまつ）とを描く小説家の筆は自由奔放であり、ギャグ漫画めいたストーリーや諷刺の過激さに思わず唖然（あぜん）としてしまう読者も少なくないかもしれません。

ヴェルヌは、国籍でいえば、フランス人。そのため、ジブラルタルの領有権争いに関しては、イギリス側にもスペイン側にも特に与（くみ）することなく、両者を戯画的に描きやすい立場にいました。特に、イギリスに対する諷刺は辛辣です。一九世紀後半の時点ですでに広大な海外領土をもちながら、それをさらに拡張しようとしていた英国、植民地獲得競争におけるフランスの強力なライバルであった英国への反感が、そこには現れていると見るべきでしょう。ユーモラスでありながら諷刺のきついこの物語を書くことで、ヴェルヌは、望ましからぬ英国の膨張主義政策に対し——ジル・ブラルタルのように剣によってではなく——ペンによる奇襲攻撃を試みているのです。

（三枝）

【諷刺】

ユーモアは、諷刺の必要条件ではありませんが、よくできた諷刺には、しばしば人をくすりと笑わせる要素が含まれています。

しかし、多くの場合、それは無邪気な笑いではありません。多かれ少なかれ、諷刺には標的に対する攻撃性が備わっているからです。ただ単に笑うのではなく、誰かを笑いものにすること。人の——あるいは、ある時代や地域や階層に特有の——愚かしさを笑い、批判し、場合によっては、その改善を促すこと。そこに、諷刺の果たしてきた重要な役割の一つがあります。

特に、社会的強者、すなわち何らかの権力を握る人々は、往々にして諷刺の対象になってきました。現実には彼らに手出し・口出しすることのできない多くの人々が、物理的な暴力に頼ることなく溜飲を下げるのに——あるいは、世論に訴えて現状の変革を図るのに——それは有効だったからです。フィクションの力を借りて、標的を、デフォルメしたり、より劣等なものになぞらえたりしながら、そのいびつな特徴を際立たせ、笑いものにすることが。

かくして、諷刺的な作品の中では、しばしば価値の逆転や上下関係の混乱が起こります。そう、猿の群れが人間の集団を翻弄し、しかもその集団の指揮官が醜い猿への変身を余儀なくされてしまうという、「ジル・ブラルタル」の中でのように。

（三枝）

ジョルジュ・ルーによる「ジル・ブラルタル」挿絵

【猿】

ホモ・サピエンスはラテン語で「賢い人」を意味し、現在の人類を指しますが、この学名を考案した一八世紀の博物学者リンネは、人間にはホモ・サピエンスとは異なるもうひとつの種があると考えました。それが洞窟に住んでいたとされるホモ・トログロデュッテス（穴居人）です。この説は後代の科学で否定されますが、「穴居人」の名称はチンパンジーの学名（パン・トログロデュッテス）に受け継がれます。

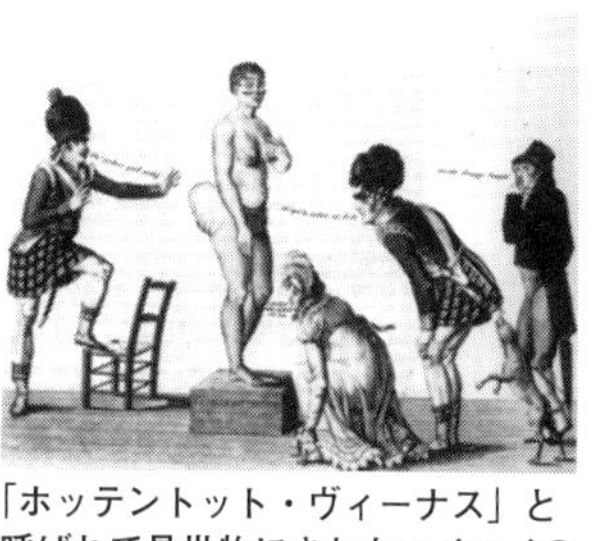

「ホッテントット・ヴィーナス」と呼ばれて見世物にされたコイコイの女性サラ・バートマン

本作の作中人物ジル・ブラルタルは洞窟にこもって「穴居人」の生活を続けていたという設定で、ホモ・サピエンスとは別系統の「野蛮人」のように描かれます。その「野蛮人」が猿の頭領だという設定は、ヨーロッパの博物学的議論を喚起させます。

一八世紀から盛んとなる博物学は、世界中の生物を観察・分類の対象としました。なかでも関心が注がれたのが、人類の多様な亜種（いわゆる人種）のうち、どの人類の亜種が動物（猿）に近いか、ということでした。ヨーロッパの学者は、黒人を猿にもっとも近く、ゆえに劣っていると見なしました。その典型とされたのが、「ホッテントット人」です。

黒人が猿に近いとする考えは二〇世紀前半まで、ヨーロッパではほぼ常識のように受けいれられていました。今日、私たちはこれが偏見だったことを知っていますが、偏見はどの時代の常識にも隠れている以上、自分たちの思考や感覚にもおおいに注意を払うべきでしょう。

（中村隆）

クロイツェル・ソナタ（新作）

ドゥブラヴカ・ウグレシッチ
［訳］奥彩子

よみがえれ、ソポクレスよ、我が結婚生活の悲劇を記すがよい！

ザグレブ駅―ドゥゴ・セロ駅

一〇月のある日、僕はベオグラード行きの旅客列車の席に座って、発車を待っていた。そのうち、木製の大砲を持った男が、ナイロンの袋をいくつか手に提げて、コンパートメントに入ってきた。ナイロン袋を座席の上の網棚に置くと、大砲を慎重にひざに置いた。僕は窓際に座っていたが、大砲男は扉側の隅の席を選んだ。それからしばらくして、別の男性が入ってきた。せかせかした動作、ぼさぼさの髪、異様な目の輝き。客室をさっと見渡すと、ぶつぶつと何かつぶやき、僕の向かいに座って、窓の外をじっと見ていた。

四人目の旅人が入ってきたとき、列車はもう動き出していた。金髪の女、乱れ髪はベタつき、ウィンドブレーカーとジーンズを身に着けていた。どさっと腰を下ろして、ブリティッシュ・エアウェイズのマークが入ったビニールバッグを脇に置くと、ガムを口に入れて、ひたすら噛み続けていた。

僕の向かいに座った男性は、時折、咳ばらいとも、笑いかけてふっとやめた声ともつかない、異様な音を発していた。不思議な音ははじめは僕たちの注意を引いたが、やがてガタゴトという列車の単調な音にまぎれて、気にならなくなった。僕は、発車前に新聞を買い忘れて何もすることがなかったので、窓の外を眺めたり、同乗者たちに目をやったりしていた。それから、舞台設定にふさわしく（コンパートメント、四人の登場人物、所要時間—不明、わが国の鉄道運行状況はまったく読めない）、無難に思えるセリフで会話の糸口をつかんだ。

「素敵な大砲ですね！　どこでお求めになりました？」僕は、隅の男に言った。

「ドイツさ！」男は気詰まりな沈黙が破られてほっとした様子で答えた。

「それは何ですか？　おもちゃですか？」

「いや、まさか……！　ここに穴が見えるだろ？　で、そこに瓶をきちんと挿し込んで、大砲をテーブルに置くと、お客さんが訪ねてきたとき、飲んだりするのにちょっとおもしろいし、さまになるだろ……ドイツに行くといつもこういうのを持って帰るんだ。かみさんのためにな……！女はこういうのが好きだからな！」

「えっと、そうですね……」

「そうともさ、くそったれ！」大砲男は丁寧な言葉づかいをやめた。

　金髪女が口からガムを取り出して、また入れて、舌打ちをし、太ももをかいて、男を見つめた。

「くそったれが！」男はいくらか狼狽（ろうばい）しながら、柔らかい口調で繰り返した。明らかに会話を続けたそうだった。

「じゃあ、もう一つの大砲は？　そっちも奥さんに持っていくの？」思いがけず金髪女が口を開き、意地悪く笑った。上の歯が三本欠けているのが見えた。

　大砲男は活気づき、返事をしようと口を開いたが、僕の向かいの男性が声を上ずらせて答えた。

「むかむかする！」

「なんですって?!」金髪女はガムを噛みながら気だるげに言った。

「むかむかすると言ったんです！」男性は神経質に繰り返した。

「はあ?!」金髪女は短く答えて、バッグをつかみ、コンパートメントを出て行った。神経質氏は一度きりのしゃっくりのような音を発し、物問いたげに僕を見て、静かに言った。

「申し訳ありません！」

「いいえ……」

「実は、わたし……」

「はい？」

「なんでもありません！」男性はそう言って、手を振り、窓の外を眺めはじめた。客室に気まずい沈黙が訪れた。

「俺の大砲、見ててくれよ、いいな?」大砲男が僕のほうを向いた。

「いいですよ」僕はこころよく言った。

男は慎重に大砲を座席に置いて、コンパートメントを出て行った。扉が閉まると、神経質氏は僕を見て、物思いに沈みながら言った。

「女というのは……」

「はい……」

「女というのは不愉快極まりない。何もわかってない!」

「どうしてそうお考えになります?」

「あなたもご覧になったでしょう、あの女は、素敵な土産を奥さんに持って帰ろうと旅する男性の気持ちも理解せず、厚かましくせせら笑って、まったく関係のないことをほのめかしたんですよ!」

「でもそんなつもりはなかったんじゃ……」

「そんなつもりでしたとも」神経質氏は僕をさえぎった。「もちろん、そんなつもりでしたとも! 女というのはいつもたった一つの事しか考えていないんです!」

「待ってくださいよ……」

「待つことなんかありません! 女など見たくもない! そういう女の一人がわたしにしたことと言ったら……ところで、わたしはどうしてあなたにこんな話をしているのでしょう!」

神経質氏は手を振り、また窓の外を眺めだした。

「お話、伺わせてください」僕は言った。

「そういう女の一人がわたしをぼろぼろにし、見るも無残な姿にしたのですよ！」

「でもそんなふうには……」

「そうですとも、外からは見えないだけです。ですが、わたしをご理解いただくには、最初からお話しないと……」

「最初からお聞かせ下さい」僕は言った。ドゥゴ・セロ駅を通り過ぎるのが左目にちらりと入った。僕はどっかりと腰を落ち着けて、タバコに火をつけた。神経質氏はもう話しはじめていた……

ドゥゴ・セロ駅―イヴァニッチ・グラード駅

「出会ったとき、一目で感じのいい娘だなと思い、何かしら不可解な感情が心にわきおこりました。脇道に入るところだったのですが、らしくなく、ぶしつけに振り返ってしまいました。どきっとしました、彼女の方も立ち止まってこちらを見ていたのです。それで、見つめ続けました、それも、自分から喜んで。何かよくわからない魅力、繊細さをその娘に感じたのです。精神性や心理的要因にかかわるものをね。それで注意を引かれたのです。女のことなんていつも後回しだったのに。

彼女を見かけないまま、数か月が過ぎました。郊外の並木道で再会したとき、彼女はいろんな階級の軍人たちと一緒にいました。たぶん、制服を偏愛していたのでしょう、十分な教育を受けられなかった女にありがちなことです、服装、容貌、気品のようなものに目が向いて、男性の特権的、知的能力を気にかけない。そうしたあまたの女と同じく、彼女は男性の知性を服や靴の型で測り、しゃれたダンディは俗物かもしれないとか、上品な紳士はまぬけかもしれないなんて考えもしませんでした。

ある日、彼女と知り合いました。名をアンカと言いました。知り合ったのはマロニエの枝の下です。沈みゆく太陽の影、秋の囁き（ささや）という、遠慮なく言わせてもらえば、それはもう美しい風景でした。その日から毎日会いました。いつも自然に囲まれて、とくに泉と小川のほとりがお気に入りでした。

アンカはみじめな人生の一幕一幕を披露し、母がおらず、継子ゆえに家族全員から爪はじきにされていると語りました。そう、哀れな娘がする苦労の限りを尽くしていました！　継母のいじめは野蛮の極みでした。そのことをよく物語るエピソードを一つだけお話ししましょう。まだ年端（としは）も行かぬ子どものころ、継母を「お母さん」と呼んだら、残虐非道な継母は彼女の口にトウガラシを詰め込んで、血が出るまで殴り、それから地下室に引きずっていって、もしまたお母さんと呼んだら殺して地下室に埋めるぞ、と脅したんです。無学で非情な継母は一歩ごとに、哀れな、か弱い、庇護（ひご）者のいない子供を虐げ（しいた）ました。継続的に、体系的にいじめられた子供は、ある晩、家から逃げ出し、公園に行って、ナイフで手首を切りました。八日目に軍人たちが藪（やぶ）のなかにいた半死状態の彼女を見つけ、家に運びました。彼らに感謝しましょう！

そういうわけで、アンカとわたしは定期的に夕暮れ時に会うようになりました。いつも彼女を家まで送っていきました。わたしがあれやこれやと話す理論や学問に彼女は熱心に耳を傾けましたし、わたしがおどけると大笑いしたりしました。親のない子は両親の愛を知りません。ですから、わたしは愛と分別で、その空白を埋めようとしたのです。
じきに、中世の人びとにとっての教会のように、アンカなしにはいられないと思うようになりました。砂漠の遊牧民がオアシスを愛するように、ナイチンゲールが自由を愛するように、わたしは彼女を愛しました。たしかに、全きプラトン的ともいえる深い愛情にたびたび酔いしれて、ひどいときには、彼女の家の前まで来て奴隷のようにひざまずき、胸を踏んで心臓を潰してほしいと頼むほどでした。

このこともお話しておかねばなりません。アンカにはまったく信じられないようないかがわしい噂(うわさ)がいくつもありました。たとえば、複数の性病を患ったことがあるとか。でも、わたしは彼女を愛しつづけました。自分の目で見て培った考えがあったからで、それは町中の考えとは正反対でした。

ある日、怖ろしくて辛い真実を彼女から告げられました。ドゥブロヴニクでか弱い身体を保養していたある晩、冷酷な男と席を共にしたというのです。その皮肉屋は、彼女が言うには学生だそうですが、不埒(ふらち)なことに、純潔な女性は今時めったにいないなどとくだらない話を始めました。堕落の極みながらも獣欲的な雰囲気になじんだ会話は、夜遅くまで続きました。そのうちアンカは立ち上がり、ホテルの部屋に戻りましたが、扉に鍵をかけないままでした。ほどなくして誰かがノックし、入室の許しをえて、入りました。例のくだらないおしゃべり野郎でした。寝台にいた彼女のかたわらに座りました。視線を何度か交わしたあと、彼女は言いました。「私が純潔かどうか、ご自分でお確かめください!」

その呪われた夜に、彼女は花を散らしました。それからわたしのところにやってきて、不誠実な話をしたあと、彼女をあがめるわたしの気高い心をノックしました。わたしは愛ゆえに逆上しましたが、彼女の罪を許したばかりか、正式な妻になってほしいと頼むしかできませんでした。彼女を許したのは人類と不幸な宿命ゆえです、わたしに庇護を求め、庇護をそこに見出せると信じて生きているみなし子をわたしは許しました。彼女を絶望させ、その心を墓場に追いやることなどできませんでした。

とても辛いことですが、申し上げねばなりません、道徳心に欠けた海辺の不良男の名前は永遠に秘密となりました。ドゥブロヴニクでの出来事は、おとぎ話に描かれる純真さのふりにほかならず、過去の不行状を隠すために行われたことだったからです。すでに申し上げましたように、アンカにはいかがわしい噂がいろいろありましたから！」

イヴァニッチ・グラード駅─クティナ駅

神経質氏は、また、咳払いとも、笑いかけてふっとやめた声ともつかない、異様な金切音（かなきりおん）を発した。

「悲しい話ですね……」僕は言った。神経質氏は激しくこぶしを握り締めると、胸を叩いた。

「わたしの！　わたしの話です！　わたしが話しているあいだは黙っていてください！」

「お話しください」僕は神経質氏の気が変わらないよう、真心こめて言った。

「種をかじってもよろしいか？　あなたもいかがですか？」神経質氏はポケットから新聞紙に包ま

れたヒマワリの種を取り出し、「こうすると落ち着くもので……」と言いたした。

　僕は断り、新しいタバコに火をつけた。神経質氏が続きを話しだした。

「そんなわけです。アンカとわたしは結婚しました。わたしがどんなに彼女を愛していたかがよくわかる、ちょっとしたエピソードを覚えています。結婚後まもなく、インフルエンザの大流行がはじまりました。町の人たちはもちろん、医者まで病気になりました。アンカも病に伏せました。怖ろしさのあまり、わたしは彼女の寝台に移動して、自分もインフルエンザにかかろうとしました。そうすれば、一緒に死ねます。彼女なしに、生きる理由などあるでしょうか?! わたしはニンニクとワインヴィネガーで彼女をこすり、ジャマイカのラム酒を注ぎました。八日間、彼女はわたしの右腕を枕に横たわっていました。九日目に起きあがりました。春の日のあけぼののように、生命が姿を現したのです。そして、子供ができました……

　長くならないように端折りますが、不幸はある朝訪れました。わたしが目を覚ますと、アンカはいませんでした! 捕まえたと思ったら、朝にはいない! 一銭残らず持ち出し、赤ん坊を揺りかごに置いていきました! 翌日やってきて、わたしと別れたいと言い張りました。理由もなく別れたいなんて、突然訳の分からないことを言われ、わたしは傷つきました、心底傷つきました! それからは涙です、もちろん、ふたりとも。彼女が泣き、わたしも泣く、子供も泣いていました! 精神病院、地獄、煉獄、何と言えばいいでしょうか?!

　それからまた時が過ぎましたが、つかの間でした。ある朝、心労と仕事にくたびれて目が覚めると、また彼女が寝台にいませんでした。彼女と一緒に、寝具、わたしの新しい服、靴、靴下、帽子、そのほかもろもろがなくなっていました。始祖アダムと同じ姿で、子供を抱えて、行く当ても頼れる人もなく取り残されたのです。寛大なデモステネスに盗みを働く男でも躊躇するようなものまで、アンカは取っていったのでした。

なんとか新しい服を手に入れましたが、職場では立っているのがせいぜい、周囲も目に入らず、感じるのは子供への愛情だけ。医者が退屈しのぎの科学実験で脳を取り出した犬のような状態でした。そこにまたアンカです！ 唇を震わせ、瞳を輝かせていました。どうしたっていうんだ、アンカ、いつまでこんなことを続けるつもりなんだいと言って、わたしは優しく同情の眼差しを彼女に向けました。彼女は黙っていました。たびかさなる家出の理由を教えてくれと頼んでも、何も言わず、肩をすくめて泣いていました。

当然ですが、まったく同じことが一両日のうちに繰り返されました。今回は長くありませんでした。人生を清算したのではないかと思って、死んだ母親にすがりつく子供のように泣き、エウリュディケーを失ったときのオルペウス以上に嘆きました。オルペウスの悲しみには他の人びとや野生動物たちが心を寄せ、子羊が声を合わせ、洞穴は動き、復讐の女神たちが涙を流しましたが、わたしは一人っきりでしたから！

昼も夜も、半裸で、半狂乱になって歩き回り、水路や小川、木立や生け垣を見て回りました。あげくに部屋にこもり、一四日間ずっと、昼も夜も嘆き続けました。ご近所さんはわたしを本当に怖がりました、わたしの眼差しが何か恐ろしいこと、身の毛もよだつようなことを物語っていたからです。ついに路上で彼女に遭遇したときには、マドンナにひれ伏すように、彼女の足元にひれ伏しました。さあ、アンカ、家に帰ろう、ちびっこが待っているよ、うちの小さな天使を忘れるなんてできないだろう?! 彼女はわたしを品定めして、答えました。「できるわ!」

一人の母親、自分の妻の辛辣な発言に足が震えはじめ、身体が氷山のように冷たくなり、心は、そうとは見えないけれども、痛みでむせび泣きはじめました。自殺しようと思いました。二日間、自分の妻の精神と知性の野蛮さ、道徳的頽廃(たいはい)に祈りを捧げ、涙にくれました。ついに彼女の態度は軟化し、わたしたちは一緒に過ごすようになりました……」

クティナ駅―バノヴァ・ヤルガ駅

「信じられない」僕は言った。

「なんとおっしゃいました?」神経質氏は話をさえぎられて明らかに不満げに尋ねた。神経質氏の唾が飛び、黒い殻がちょうど僕の左の靴先にくっついた。

「いえいえ、なんでもありません、続けてください」僕は言い逃れて、またタバコに火をつけた。

「安定しない生活でした」と神経質氏は続けた。「アンカはそのころ洗濯女のミリツァと知り合いました。安っぽい金髪の軽薄な娘で、これまた自分の処女性をロマンスやらバラードやらに結びつけるものですから、下劣な戯言(たわごと)に内臓がつきあがってくる気がしました。ですが、アンカを傷つけないために、洗濯女ミリツァに我慢しなければなりませんでした。

そのうち、アンカの父親が死に、アンカは数日の旅に出ねばならなくなりました。出立する彼女に言いました。「気をつけて、おちびさん(彼女を「おちびさん」と呼んでいました)。道中誰とも話すんじゃないよ。到着したら、身体を休めて、子供と夫が家で待っているのを思い出すんだよ！」

このとおりの言葉をかけました。

そうして彼女は旅立ち、もう帰ってきませんでした。一週間たっても、二週間たっても戻りません。駅に行って、列車を待ちましたが、彼女はいませんでした。ある日など、駅を五つも回りましたが、彼女はいませんでした。毎日毎日、列車を待ちましたが、無駄でした。貨物列車のところにも行きました、やぶれかぶれに、なにかの偶然で貨物列車で帰ってこないともしれないと思ったからです。ですが、彼女はいませんでした……」

神経質氏はふと黙ると、悲しげに窓の外を眺めだした。待つ日々を思い出しているに違いなかった。

「それで彼女は見つかりましたか？」僕は尋ねた。

「誰が？」神経質氏は我に返った。

「アンカです。彼女を見つけましたか？」

「あぁ」と神経質氏は陰気に言った。「もちろん、見つけましたよ。洗濯女ミリツァのことを思い出して、訪ねたんです。彼女はそのあばら屋にいました。肩の荷を全部下ろして眠っていました。まるで夫も、子供も、魂も、心もないみたいに。そっと彼女を起こしました。誠実さと清廉さが助けにならないのなら、駆け引きして予防に努めるよりほかにありません……

彼女は道端でのよしなしごとを話し、酒場で覚えた下品な歌を低俗なメロディーにのせて歌いました。家に呼びましたが、暗い顔をして拒みます。彼女の心という心に唾を吐きました。今生の別れでした。後から知ったのですが、扉の向こうにあのドゥブロヴニク野郎がいたんです。知性も経験もある人間として、知っていなければなりませんでした。太陽は一〇分で地平線に沈みますが、女の心には一〇年かかります。それに、「昔の愛の過去は重い（シュヴェル・イスト・ディー・フェルガンゲンハイト・デア・アルテン・リーベ）！」。二〇世紀にルクレツィアは生まれないと知っておくべきでした！」

バノヴァ・ヤルガ駅―ノヴスカ駅

神経質氏は大げさに手を振ると、通り過ぎていく灰黄色の畑に憂鬱そうな視線を送った。そして深い黙考から目覚めたように、視線を僕に向けた。

「すみません、ところであなたは何をなさっているのですか？」神経質氏は僕に尋ねた。

「どういう意味ですか？」

「お仕事は何をなさっているのかと思いまして」

「えっと……タイピストです」

「男性には珍しい仕事ですね！」

神経質氏は正しかった。珍しい仕事。嘘だけど、嘘じゃなかった。作家とは言いづらかったのだ。偶然の旅の連れがやすやすと言葉を紡ぐのに驚いて、僕は一瞬気後れしてしまった。こんな話を考えるのに、僕だったらどれくらい時間がかかるだろう、プロなのに。旅の連れのオリジナルの物語を真似てみるだけでも大変だろう！　僕は自問した。そもそもこの列車に乗り込んだのは本当に偶然なんだろうか、それとも誰か皮肉な女神(ミューズ)が神経質氏との出会いを仕込み、僕が向き合いたくない人物をずうずうしく指さしたんじゃないか。創造力の弱さ。そうだ。僕は、生気のない、気の抜けた話を百遍以上も味つけしなおすのに飽き飽きしていた。最初は新しいガムみたいに甘い風味があったけれど、長く嚙んでいるうちに失せてしまった。それでも僕は、吐き出すところもなく、嚙み、引っ張り、風船を作ろうとさえして、また嚙んでと、自分を引き写し続けている。しかも何が一番残念かって、まわりにもましな作家が誰もいないということだ。ただみんなは短所を長所に変えることを知っている。でも僕は少しずつ気が変わった。自分がしているのが不誠実な仕事ばかりだという昔気質の考えに苛(さいな)まれたからだ。年をとったということだろう。試合のルールはよくわかっていたけど、文学フィールドの、ばかげた三部リーグの競走に参加することはできなかった。そういうわけで、僕は神経質氏にタイピストだと答えた。それは、嘘ではなかった。僕はそう感じていた。

ノヴスカ駅―ノヴァ・グラディシュカ駅

「おや、どうされました!? まさか、それで憂鬱になられたんじゃないでしょうね?! 大事なのは職業ではなくて、どういう人間かですよ!」神経質氏はそう言うと、ポケットから二つめの包みを取り出した。

「そうですね、先をお話しください!」僕は答えた。

「ドゥブロヴニクでのあの呪われた夜、彼女が安っぽく一か八かの賭けをして、乙女の百合と全き処女性という賜物をあんないい加減なやり方で失ったことを考えると、これからもきっと彼女は性的誘惑に負け続けるのだろうと思うのです。そのことに、言い表せないような心の痛みを覚え、眠れないこともしばしばでした。わたしが無垢な幼子のそばで聖人の夢を見ているときに、根っから罪深い女は、大馬鹿野郎と一緒になって、わたしたち夫婦の寝台でどんちゃん騒ぎを楽しみ、性生活の精神機能をはき違えていると思うと、心穏やかではいられませんでした。

死にたいと思いました、毒を飲もうと思いました。わたしはもう人間ではなくて、フリュイドゥム・アモーリス、愛の精霊だったからです。わたしの痛みは、三酸化砒素のように、堕落した妻の偽善のように、毒性の強いものでした。情熱的な愛と絶望の地平をさまよっているあいだ、わたしの病んだ心はいくどかメランコリーの発作に襲われて、何通かアンカに手紙を書きました。手紙では、いつもと違って、考えを選んだり、系統立てたり、言葉を駆使したりしませんでした。詩的な雰囲気づくりもせず、愛している、戻ってきてほしい、と書きました。ですが、手紙は未開封のまま送り返されてきました。屈辱感と不面目にメランコリーに陥り、ルネ・デカルトのように、すべてを疑いはじめました。自分が疑ってるということ以外は。すべてを疑えば、妻がだらしなく横になって、馬鹿野郎だか皮肉屋だか豚野郎に抱かれていることも、そいつが社会的地位か金の力かで心ない罪深い一夜を彼女とともにしていることも疑わしく思えます。

彼女を忘れることができませんでした。彼女には苦しめられましたし、いまも、生きたまま心が解剖され、脳が取り出されるような苦しみを味わっています。彼女のためにわたしは死にました。ふしだらで、道徳心のない女のために。すっかりやられてしまって、こう叫びました。「フリードリヒ・ニーチェみたいに精神病院へ入れてくれ、彼女がぼくにとって何だったか、彼女にとってぼくが何だったか、忘れさせてくれ！」不健全な感情、粉々になった愛、末期の抑鬱は医師なら精神障害の兆候ありと診断するレヴェルでしたが、誇りを押し殺し、主観を抑えました。論理的思考の申し子である、このわたしが、彼女に最後の手紙を書きました。何もかも嫌になった、人生なんてどうでもいい、と！　手紙に返信はなく、憂鬱と言いようのない痛みを心にもたらす結果となりました。まだ彼女を愛していたのです。

その愛はフェティシズムぎりぎりか、それを上回るものでした。愛に狂っていたわたしは、そうはいっても平均的な知能の、愚かしい女のことを、ばかばかしいほど大げさに誇張して話したのですが、そうすべきではありませんでした。彼女がそれを信じはじめたからです。心理学者が口を揃えて言うところによれば、賞賛は女をダメにする、虚栄心を煽り、そのことが心と気持ちに悪影響をもたらすのだそうです。明らかに異常なわたしの愛をかたくなに信じて、彼女は母としての義務の数々と繊細な心を踏みにじりました。今ならわかります、妻として、また母としての義務感にどれほど乏しかったか！　彼女がわたしと子供に対して抱いていたのは、真実の、気高い愛ではなく、押さえつける愛でした。病んだ、ちっぽけな、女の頭で、一人の半神の巨大な愛と熱帯性の心が自分の冷酷さと愚かさを覆い隠すだろうと思っていたのです。さらに、わたしは空の寝台に自分と子供の血しぶきを飛ばすだろうと。ですが、健全な理性の申し子たるわたし、グノーシス主義者であり男であるわたしは、一人の女の病んだ本能と邪悪な気分にひれ伏すなど思いもよらないことでした。彼女はわたしたちの結婚が死亡記録書に入ることを最初から願っていたのではないか、そういう虚栄心があったのではないかという気がします。あぁ、そんなときは、好きにさせるしかありません、わたしは、自分の結婚生活のヴェールを上げて、その姿を始祖アダムとイヴのように包み隠さずお見せしましょう。彼女が望んだかもしれない、センセーションとか血みどろの悲劇の一幕はなしでね。」

ノヴァ・グラディシュカ駅―スラヴォンスキ・ブロド駅

「お疲れですか?」神経質氏が長広舌(ちょうこうぜつ)を中断した。

「いいえ、そんなことはありません」僕は嘘をついた。

「ちょっと用を足しに行ってきます」と言って、神経質氏はコンパートメントを出て行った。

僕は窓を開けて、新鮮な空気を吸った。神経質氏は僕を本当に疲れさせたが、同時に、そうとは気づかずに、元気づけていた。彼が辛く、生々しい話を美辞麗句でしつこく語っているあいだに、僕は彼のことを書きたくなってきたのだ。そう、彼のことを。してみると、僕はすっかり試合をあきらめたわけではないようだ。もう一度同じ罠にかかる覚悟もあった。老作家たちが好奇心旺盛のまま、気ままに人生を記したのは、なんと正しいことか! 人生を複写してもそのうち魅力を失う。つまり、古くなる。文学はそのあいだにだんだん消えていく、ろうそくみたいに。すべては、本当に、単純なことだ! 最初の列車に乗って、話が自分からやってくるにまかせるだけ。記録するのも、人生の複写の大家たちがかつてしていたように、単純なことだ。

神経質氏が戻ってきた。列車が動きだし、コンパートメントは涼しくなった。窓を閉めたかったが、引っかかってしまったようだった。神経質氏が急いで手伝ってくれた。そのとき、列車が急停車し、僕たちふたりは抱き合うはめになった。

「おっと、すみません！」神経質氏が言った。

「いえいえ」と答えた。

僕たちは腰を掛けた。列車はまた動き出し、神経質氏は話をつづけた。

「五年間の誤ちは、わたしの人生に永遠の傷を残しました。その間、彼女は、心にもない愛と偽りの貞節を言いつのってわたしを引き留めました。隠された情事の前歴と道徳的な奔放さから、そう結論づけてよいでしょう。そもそも、五年間の盲目的な結婚生活のあとに、ドゥブロヴニクでのあの罪深い夜の秘密を知りました。あの道楽者（ボン・ヴィヴァン）から謝礼をもらっただけでなく、あとでさらにそいつの兄弟からももらっていたんです！　しかもそれですべてではありません。彼女の頽廃はわたしにさらなる犠牲を求めました。悪行にすっかりけがれた心は、わたしの嫉妬をあおって喜ぶという異常性まで発揮しました。

ご存知ですか、たとえばですよ、フョードル・ドストエフスキーは、不倫をしているという妻の不穏当な冗談に動揺して、怒り狂ったように跳びあがって、何も言わず彼女の胸元の鎖をもぎ取り、それから銃の引き金を引いて、命を奪おうとしたそうです。それが不穏当な冗談だったことを得心すると、冷たく、重々しく言いました。『妻よ！　そんなことはするな！　悪いことが起きてしまうぞ、そういうときに私は何をしでかすかわからんからな。』それがロシアの大草原の大哲人の反応でした。わたしがそうしないでいられるはずがありません。今ならわかります、アンカは平凡な知能の男にも値しませんでした、ましてやわたしには。けがれのない精神生活を送る男、人生の粗暴な現実とは無関係の男に値するはずがありませんでした！　そう、だから彼女もわたしの心と知性に寄生したのです！　だからわたしは彼女にとって「神」だったり「役立たず」だったりしたのです。ナポレオンも、彼が天才であることは議論の余地がありませんが、自分の妻マリー・ルイーズの強制的性愛の前には「役立たず」でした。もしわたしがソクラテスだったら、ヨハネス・クリュソストモスかカントだったら、エドガー・アラン・ポー、オスカー・ワイルド、バイロン、ボードレール、クヌート・ハムスンではなくても、彼女はわたしを見下したことでしょう。彼女の心には知性がありませんし、道徳的知的頽廃のなかで腐っていくだけですから。

彼女はあらゆる観念的な物事を過小評価し、すべて物質的な基盤に還元して、それが人間存在のプラットフォームだと考えていました。わたしが靴ひもとか南京錠とかろうそくでも売っていたほうが彼女にはよかったんです。ところがわたしは、人間が提供できるもっとも高尚なものを売っていたんですから。自分の文学的労作、心と魂のかけら、涙のせせらぎ。ですから後悔しています、わたしのペンが奏でる音楽より金のジャラジャラ音とウィーン風カツレツのほうが好き、わたしの文体労働より豚のもも肉のほうが好き、というのが自分の妻だったなんて。」

「すみません……」僕は神経質氏をさえぎった。

「なんですか」神経質氏は不満げにしかめ面をした。

「すみませんが、あなたは何をなさっているんですか？」

「どういう意味ですか？」

「つまり、何のお仕事をなさっているんですか？」

「文学者です！」神経質氏は言い放った。「正確に言えば、文学者になる修行中です！」

「おぉ！」僕は口もきけないほどびっくりした。

「どこまでお話ししましたっけ？」神経質氏は笑わなかった。

「あなたのアンカがあなたのペンが奏でる音楽よりウィーン風カツレツを好んだというところまでです……」

「あぁ、そうですね……月桂冠は死者の頭蓋骨にしかかぶせないことも、スピノザは五〇年間毎日三〇銭しか使わなかったことも彼女は知りませんでした。ニーチェも言っています。「死なずにいるのは高くつく、だから人は生きているうちに何度も死ぬ！」悪徳は彼女の心の奥深くまで根をはり、妻としてではなく母としての最後の面影も失っていました。道徳的な金言が響いたこともありません。女性は謎だ、解答は母性と呼ばれるとニーチェは言いましたが、彼女はそれに舌を出していました。きっとヤースナヤ・ポリャーナ(1)の哲人だってわたしの罪深い妻のふしだらさと母としての不行状には涙するでしょう。


妻は、不品行と女性の神聖さを危うくしたことの代償を、社会に支払わねばならないと思います。彼女は見下げ果てたけだものです。思いますに、性愛の深みにはまってしまった女からは市民権を取り上げるべきです。子持ちのときは養育権も取り上げねばなりません。道徳が欠如した人間に道徳を教えることはできませんから。それに実際そういう女は大きな罪を犯しているのです。自らの振る舞いによって性愛の血液向性を引き起こし、自らのコケットリーの犠牲となっているのですから。

心理学者たちは、妻を許すことはヒロイズムだと信じています。わたしは言います、「もし、今日の社会で実践されている道徳をこれまでのやり方で今後も多めに見るのなら、思い切って結婚をした男性は、翌日にはもうヒーローと呼ばれることでしょう！」わたしだって、法律婚が処罰の対象となるなら、レーニンに加勢して法律に基づく自由恋愛に喝采を送るでしょうね、そのほうが苦しみも少なく、悲劇も少ないでしょう。

わたしは、ニーチェと同じように、信仰者と接触したあとに手を洗いますが、それでも、キリスト教が発案した道徳を知っています。「姦淫（かんいん）するな！」わたしはプラトン的な愛の観念を広げて、婚姻関係に還元したいと思います。プラトンはまさにこう言っています。「女は男に強い影響力を行使し、男の性質を決するに至る」。ですから、わたしはプラトンに賛同するんです。強調しておきますが、わたしは大酒飲みでしたが、いまはもう違います。その性質を決定づけた妻が去ったからです。プラトンが正しかったしるしです！」

スラヴォンスキ・ブロド駅―ヴィンコヴツィ駅

神経質氏が意味ありげに指を立てて少し止まったので、僕は静止を利用した。

「すみません、ちょっと用を足しに……」

「どうぞ、お待ちしていますよ」と神経質氏が答えた。

トイレの列で待つのは好都合だった。僕の連れは疲れていて、話からリズムが失せていた。金髪女と大砲男が現れたらいいのに。彼の前にいるとどんどん自分が小さくなるように感じ、言葉の山に埋もれて窒息しそうだった。僕はできるだけ時間を引き延ばし、道すがら頭痛薬を飲んで、どうにかコンパートメントに戻った。

「戻りましたよ……」僕は口ごもりながら言った。

「かなりかかりましたね」神経質氏はいらいらと言った。

神経質氏の口調は僕を苛立(いらだ)たせた。奇妙な連れについて物語を書くという目論見(もくろみ)は、穴の開いた風船のようにしぼんでいった。できるだけ早く彼がいなくなればいい。

「どこまで行かれるのですか?」僕は神経質氏に尋ね、新しいタバコに火をつけた。

「シドまでです!」

「そのあとはどうなりました?」自分がシドまで持ちますようにと願いながら、慎重に尋ねた。

「どこまでお話しました?」

「プラトンのところでしたっけ……」

「彼女の出奔によって背負わされた義務と思考の迷宮から出ようと全身全霊で格闘していたある日、彼女から手紙が届きました。ある肉屋との結婚を予定していると書いてありました。グノーシス主義者の前妻が、いまや、肉屋の恋女房になった、ってわけです! 堕落した女は、わたしの文学的労作のうねりに十分な精神的な糧(かて)を見出せず、豚の腸を洗うとか、牛の蹄(ひづめ)を蒸すことに見出したわけです! お前もか、ブルータス? お前もか、アンカ?

けだもの、悪にまで堕落した女を神性に導くよりも、マエストロ・パガニーニが恋人(アマータ)にしたように、彼女を刺して罰するべきだったんです。ジェノヴァで彼をガレー船が待っているように、わたしを監獄が待つことになるかもしれないと思ったのが間違いでした。社会から悪の温床を取り除くためにそうすべきだったんです。ですが、気の毒なバイロンがバイロンになったのも皮肉屋で偽善家の女と別れたからですし、オスカー・ワイルドが文体と感性の神となったのも罪深い女に捨てられたからです。わたしとアンカの関係そのものです。気づいたのですが、わたしに対する彼女の振る舞い、耐えがたい不断の苦痛は陳腐なまでに厭わしいだけでなく、仕事に対する野心も希望も殺したのでした。わたしは書こうと決心しました。わたしの心のかけらと涙のしずくを人々が買ってくれるだろうと。ですが、ロランド(2)が言うように、才能あふれる人たちがいつも妻選びでうまくいくわけではありません。むしろ幸福な結婚をしているほうが珍しい。彼らは全世界に感銘を与えることはできても、妻にはできなかったのです。そういうわけで、わたしもペンをとり、生きているうちにわたしの心が過去に選んだ女の死亡記事を書こうと思います。わたしには今となっては死者ですが、まったくつやつやと健康にしているアンカの死亡記事をね。自分の情熱の殉教者であるわたしは、自分の愛を墓に埋めて、子を捨てた母を軽蔑するよう世間に訴えたいと思います。

わかっていますとも、なかには皮肉屋がいて、夫婦関係について話すわたしの誠意をまったくアブノーマルだと言うかもしれません。どうすればいいというんですか。道徳的な略奪者にとって、嘘と不誠実はアブノーマルでエキセントリックです！　そんなことを言えるのは、文学の小人、まぬけ、道徳的な追いはぎ、香具師だけです。ですが、冷静なグノーシス主義者にとって、あらゆる隠し事は罪です。彼は、集団的な文学上の「近衛兵」たちと文学的な家畜の無責任な攻撃のうえに立って、そう言うのです。

さて、あの宿命の女が精神病の患者施設をわたしに作らせることはもうありません。感情は健康的な理性のまえにひれ伏し、冷静な道理が折にふれてわたしに言うのです。「アンカはお前にとって死人だ！」と。そして、わたしは、獲物を逃したライオンが二度と同じ獲物を追いかけないように、この先ずっとこう言います。「失せろ、アンカ、わたしの目の前から、わたしの家のまえから！」

ヴィンコヴツィ駅―シド駅

神経質氏は口をつぐむと、立ち上がり、僕に手を差し出した。僕は驚いた。

「お別れです。行かねばなりません……」

「でもまだあなたの降りる駅ではありませんよ?!」

「行きます。降りる準備をしなければ……」

僕は彼に手を差し出した。神経質氏は特徴的な咳ばらいをして、コンパートメントから出て行った。僕は困惑した。神経質氏が何だかむやみに急いでコンパートメントを出て行った気がした。彼がいなくなってみると、無名の旅連れについて物語を書くという考えがまたぼくのなかでうずまき始めた。物語が列車内で展開するという古風さが気に入った。長い一人語りは解体して、物語に正しいリズムを与えねば。テーマは、たしかに、魅力的じゃないけど、もう少し登場人物を増やして、偶然の旅仲間を作れば、列車内での夫婦愛の小シンポジウムを構成できるだろう。神経質氏と過ごした時間は、それでもたぶん、有意義なものになるだろう。

列車がシド駅に停車した。僕は窓を開けてもう一度神経質氏を見ようとした。神経質氏は列車を降りながら僕に気づき、手を振った。僕も彼に手を振り、タバコに火をつけ、座った。それから、窓を閉めようともう一度立ち上がった。神経質氏が腕を大きく振りながら、駅の出口に急ぐのが見えた。そして、その後ろには、金髪女がいた！　おやおや、こんなどんでん返しは予想外だぞ！

列車が動き出し、僕は視線をさきほどまで神経質氏が座っていた席の上に掛けられた額縁の絵葉書に向けた。「ビオコヴァ山脈のふもとマカルスカからご挨拶」。紛れもないお話。三等車での旅物語。で、なぜまた急に金髪女が?!

シド駅―スタラ・パゾヴァ駅

急にコンパートメントの扉が開いて、僕に大砲を預けた男が駆け込んできた。彼のことなんて僕はすっかり忘れていた。

「どこだ?」彼はどなった。

「誰のことで?」僕は尋ねた。

「あの金髪の、クソお……」

「シド駅で降りたようですよ。どうしてです?」

「すられた……!」

男は息も絶え絶えに座席に崩れ落ちた。少し飲んでいるようだった。

「嘘でしょう?　どれくらい?!」

「聞かんでくれ、うんとだ……」

男は腕を広げ、肩をすくめ、頭を揺すった。かける言葉もなかった。

「すぐわかったでしょうに！　あの姿を見れば」

彼は息も絶え絶えだった。

「あなたは、なんていうか、そういうタイプなんですよ。起こるべくして起こったんです」僕は彼を慰めたが、明らかにうまくなかった。男は僕を射貫くような視線で見た。

「タイプってなんだ、タイプって。五〇〇マルクだぞ、クソッタレ！　五〇〇マルクだ！　食堂でおごってやった飲み物代抜きでだ！」

彼は黙ると、じっと僕を見て、陰気に付けたした。

「それとハム入りの炒り卵……」

僕はタイプで慰めることをあきらめて、真面目に提案した。

「警察を呼びましょう」

「バカも休み休み言え！」

二人とも黙ったままスタラ・パゾヴァ駅に着くと、男は立ち上がった。

「では、また！」僕は言った。

「おっ、おう……！」彼はいらいらと答えると、コンパートメントの扉を閉めた。僕はまた一人になった。

それから、男が大砲を忘れたことに気づいた。列車はもう発車していた。僕は窓から大砲を出そうとした。でも通らなかった。

「たいほうーーー、お忘れですよ、たーいーほーうーーー！」僕は叫んだ。

男は僕の声を耳にして、振り返り、手を振って、何か言った。

「なんですか?!」僕は叫びながら、まだ、大砲を窓から出そうとしていた。窓ガラスは、恨みでもあるみたいに、びくともしなかった。

「大砲なんてクソくらえ！」旅の連れの怒った声がはっきりと聞こえたが、姿はもう見えなかった。

列車はガタゴトとベオグラードを目指していた。

スタラ・パゾヴァ駅—ベオグラード駅

僕は気が動転していた。五〇〇マルクと大砲を失った男が気の毒だった。タバコを吸いたかったが、箱にはもう残っていなかった。ポケットに手を入れた。一つめ、二つめ、左側、内ポケット……。財布がないことに気づいた。もう一度確かめた。左、右、両側の内ポケット……。ない、財布がない！　左の内ポケットを手探りすると紙切れが触った。死んだネズミに触るみたいに、慎重に引っ張り出した。紙切れにはこう書いてあった（印字のかすれ具合から、少なくとも五度は印刷しているだろう）。

気高き旅人へ！

文学的労作「罪深き女」の一部を自由に芸術的に解釈してお聞かせしたお代として、あなたの財布に入っている金子を勝手に頂戴いたします。身分証などについてはご心配なく。郵送でお返しします。あなたの詩情豊かなご理解に感謝いたします。物語の作者として、旅から芸術的な喜びを補充することができました。

トルストイ（とお呼びください）

そういうわけで、僕は自分が演じた鉄道文学の役どころに満足し、誰もいない客車に座って、黒い殻に覆われた左の靴をじっと眺めた。足を上げて窓に向けると、靴はふいに石炭のように幻想的に輝いた。片手にはまだ紙切れを握っていた。三等車の旅物語に参加したことの証だ。もう一方の手では放心して大砲をなでていた。隣の客車で誰かが民謡をうなりだした……。一〇月某日のベオグラード行き旅客列車に乗って、大砲を持って、殻に覆われた靴を履いて、紙切れを持って、タバコはなく、身分証と三五万ディナールをすられたばかりで、白黒の「ビオコヴォ山脈のふもとマカルスカからご挨拶」を見ていると、ふいによくわからない高揚感に包まれた……。世界は作家であふれている、らしい！

（1）トルストイの領地。
（2）Lorand。神経質氏が発音間違いをしたか適当に名前をあげたと考えられる。

Dubravka Ugrešić

ドゥブラヴカ・ウグレシッチ（一九四九〜）

ウグレシッチはユーゴスラヴィアと呼ばれる連邦国に生まれましたが、その国はいまではありません。ユーゴスラヴィアは「七つの国境、六つの共和国、五つの民族、四つの言語、三つの宗教、二つの文字、一つの国家」という決まり文句で表現されるように、多様性に富んだ国でした。第二次世界大戦後の東欧諸国のなかでは唯一ソ連とたもとを分かって、独自路線を謳歌します。ウグレシッチは社会主義時代に、クロアチアの首都ザグレブの郊外に育ち、ザグレブ大学で比較文学とロシア文学を学びました。研究のかたわら児童文学を発表しはじめ、やがて、短篇集『人生は寓話』（一九八三）を出版します。本作はこの短篇集に収められた作品で、セルビア方言の詐欺師とクロアチア方言の作家とのやりとりがコミカルに描かれています。短篇集に収録された他の作品もすべて元となる作品があり、文学を創作するとはどういうことかを考えさせられます。

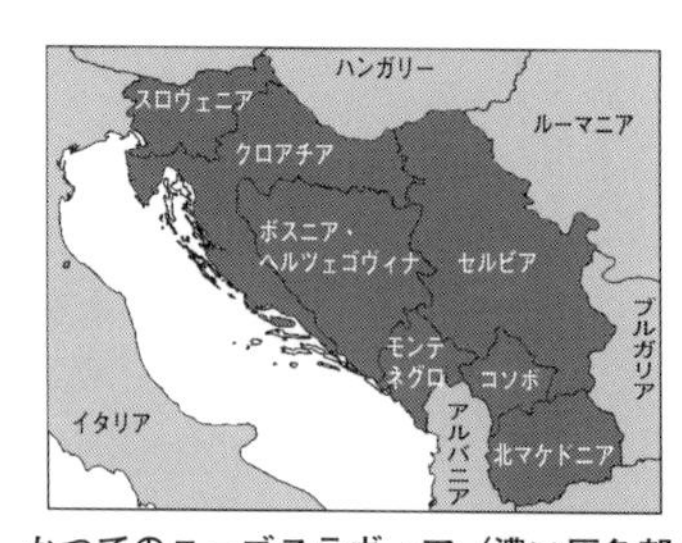

かつてのユーゴスラヴィア（濃い灰色部分）。
2020年現在は7つの国に分かれている。

八八年に発表した長篇小説『大河＝小説をわたって』では、男性中心主義的な文壇をユーモアたっぷりに皮肉り、ユーゴスラヴィアでもっとも権威あるＮＩＮ文学賞を女性として初めて受賞しました。

一九八九年に東欧革命が起こると、ユーゴスラヴィアでも国家解体の動きが強まります。九一年には戦争に突入し、本作の路線区間でもあるスラヴォニア地域はクロアチア人とセルビア人が対立する激戦区となり、鉄道も運行できなくなりました。ウグレシッチは民族主義に反対の声をあげたために「魔女」と呼ばれ、バッシングに晒されました。そしてついに、国外への移住を余儀なくされます。母国の文化状況を痛烈に批判したエッセイ『バルカン・ブルース』（九五年、原題は『嘘の文化』）は欧米で人気を博し、日本でも出版されています（岩崎稔訳、未來社）。一方、母国での出版は困難を伴うようになりました。

その後、ユーゴスラヴィアはスロヴェニア、クロアチア、ボスニア・ヘルツェゴヴィナ、セルビア、モンテネグロ、北マケドニア、コソヴォの七つに分かれました。現在ウグレシッチはオランダの首都アムステルダムに居を定め、精力的に執筆活動を続けています。一七年には初来日の体験や作家活動について綴った作品『キツネ』を出版し、クロアチアの文学賞を受賞しました。ウグレシッチは「クロアチア」を代表する作家となりましたが、彼女にとって母国は「ユーゴスラヴィア」にほかなりません。いま、彼女の作品は旧ユーゴスラヴィア各国で入手することができます。そして、本作の路線区間では、のんびりと列車が走っています。遅延はいつものことですから、いらいらしてはいけません。列車が通って、街と街をつなぐこと。作品が流通し、読まれること。それらは平和の証であると同時に平和を作る礎でもあるのです。

（奥）

ドゥブラヴカ・ウグレシッチ
©Zeljko Koprolcec

【間テクスト性】

「クロイツェル・ソナタ（新作）」は、ロシアの作家レフ・トルストイの同名作品を下敷きにしています。トルストイ作品では、列車内で「男女同権を唱える女性」と「旧弊な老人」の議論を聞いていた旅人が、自らの女性観を語り手に披露し、不倫を疑って妻を殺害したことを告白します。ウグレシッチはトルストイの『アンナ・カレーニナ』を夫の視点から書き直してみたいと考えていたときにこの作品を見つけ、自分の企画がすでに作家本人によって実行されていたことを知ります。そこで「純粋にコピーすることにした」そうですが、そう単純ではありません。たしかに、二作品を比べてみると、まったく同じフレーズがあることに気づくでしょう。登場人物の一人はロシアの列車からザグレブ発の列車に乗り換えをしてきたと言ってもよいくらいです。ですが、エンディングによって作品の意味は大きな変容を遂げます。このように、ある作品がほかの作品との関連から意味を創出することを「間テクスト性」と言います。元の作品の解釈に影響を与えうる点で、A作品からB作品への一方通行な「影響関係」とは異なります。現代の女性作家は「女性」というテーマをどのように見つめなおしているでしょうか？　本作を読む前と後で、トルストイ作品の読解はどう変わるでしょうか？　ぜひ二つの作品を読み比べてみてください。

（奥）

トルストイ
『クロイツェル・ソナタ／悪魔』
原卓也訳
新潮文庫

【鉄道】

本作は「鉄道もの」と呼ばれる文学ジャンルを意識して書かれています。鉄道ものでは何か事件が起こるのが常です。西村京太郎やアガサ・クリスティを思い出してください。そう、『オリエント急行殺人事件』が思い浮かんだあなたはいい勘をしています。この作品に登場するのは、あのオリエント急行が通った路線なのです。名探偵ポアロを乗せたイスタンブル発カレー行きの急行列車は、夜にベオグラードを出発すると、ヴィンコヴツィ駅とスラヴォンスキ・ブロド駅の間で雪溜まりにはまり、立ち往生してしまいます。皆が客室から顔をのぞかせるなか、一室だけ扉が開きません。そして、ポアロのシリーズにおいて類例のない殺人事件が発覚するのです……！　ウグレシッチ作品でも描かれているように、この区間は畑が広がる平らな地形で、二〇一七年の映画『オリエント急行殺人事件』（ケネス・ブラナー監督）に描かれるようなドラマティックな断崖絶壁はありません。もちろん、オリエント急行を利用したことのあるクリスティは地形をきちんと知っていたでしょう。なぜ、クリスティはこの区間を事件の発覚現場に選んだのでしょうか。答えは『オリエント急行殺人事件』の中にあります。

（奥）

アガサ・クリスティ
『オリエント急行殺人事件』
田内志文訳
角川文庫

トーン

ノック・パックサナーウィン
［訳］福冨渉

それから何年も経って、ぼくはカメラの中にフィルムが一本残っていることを思い出した。

静かな午後だった。新しい家に生活用品を運んだとき、これからひとりの生活に戻ろうとする男性にとって、必需品などほとんどないということに気がついた。ぼくは一番小さなダンボール箱を最後に開けることにした。中のものを取り出してテーブルに並べるのに、時間は少ししかかからなかった。けれども、目の前に現れた記憶を見つめるのに、とても長い時間を使った――オリンパスのＰＥＮ－Ｆ、簡易版ドイツ語辞典、マケドニア・スコピエ大地震の記録写真集、そして昔の妻からプレゼントされた他のいくつかのカメラ――オリンパスＰＥＮ－Ｆの冷ややかな金属の表面に手が触れたその瞬間、ぼくはこのカメラの中に古いフィルムが残っていることを思い出したのだった。

一九六三年、オリンパスPEN－Fは世界で最初のハーフ判一眼レフカメラとして記録された。ビートルズが英国で最初のアルバムを発売したのと、アメリカでコカ・コーラの最初の瓶が登場したのと、ドイツでベルリンの壁がはじめて開いたのと、同じ年だ。

＊　＊　＊

Wir planen jetzt eine reise
わたしたちは旅行の計画を立てているところです。
Wohin gehen sie
どこに行くのですか？
Wir beabsichtigen in…
彼女はドイツに行く。クラスの他の生徒たちと同じように。
これが、ドイツ語会話の例文だった。

プーケット島は、四月に帰っていくヨーロッパ人観光客に別れの手を振ると、ランの花環を準備して日本人を迎える。彼らは毎年の長期休暇の旅行計画から沖縄とハワイを切り捨てて、この島にある、バナナの若葉色をしたカクテル、プーケット・パラダイスや、金色のビーチや、巨大なロブスターを選ぶ。ぼくのほうは彼らと行き違いでバンコクに向かい、サートーン通りのゲーテ・インスティトゥートでドイツ語クラスの申込みをした。

たとえて言うなら、ぼくは迷路で迷っていた。脳みそのしわに沿って、行ったり来たりしていたようなものだった。コンピューターソフトを開発する最終段階でバグが発生していたのだ。そのバグは、論理式に姿を潜め、簡単に解決しそうになかった。コンピューターソフトは、人間の命と同じくらいには複雑だ。プログラムによっては、世界じゅうの数学者たちによって考え出された数学的思考に頼っているのに、まったく重要でない命令を出すだけのために使われているものもあった。

かなり前のことになるが、あるチェーンメールを読んだ。多くの場合、そういうメールはすぐに削除してしまう。開くこと自体がまれなので、よく覚えている。生き残ったそのメールには、第三言語を学ぶことで、脳が新しい問題解決策を発見する助けになるかもしれないと書かれていた。

ぼくはドイツ語を選んだ。ゲーテ、トーマス・マン、ヴィム・ヴェンダースではなく、ルートヴィヒ・ウィトゲンシュタインがその理由だった。以前、ポラロイドカメラの生みの親であるアメリカ人、エドウィン・ハーバート・ランドのインタビューを読んだ。彼は、ルートヴィヒ・ウィトゲンシュタインのドイツ語原典を暇なときに読んでいたと答えていた。

その語学講座で、ぼくは彼女と出会った。

何ヶ月も経って、ぼくは彼女をだんだんと深く知っていった。ぼくたちのあいだの「深く知る」の意味とは、毎週、ぼくが、街の中心地から車を運転して彼女に会いに行くということだった。ギアをローに入れてゆっくりと車を駆って、急でぐねぐねと曲がった山道を登る。車が一番高いところに到達すると、パートーン・ビーチの夜の光が目の前に現れる。それから、道路はだんだんと下っていって、それに合わせて人の数がだんだんと増えていく。ラートウティット通りにたどり着くと、道の両側に膨大な人の群れが現れる。後景にはホテル、レストラン、スパ、既製服を売る店、バー、ボクシングスタジアム。車が左折してプラチャーヌクロ通りに入ると、観光客がまばらになってくる。毎回、著名な絵画の複製画を売るギャラリーの前に車を停めた。そのあたりの駐車場はいつも空いていた。ぼくは車の中でしばらく座って、誰にも見られていないことを確認してから、急いで車のドアを開けて彼女のところに上がっていった。

商業用のビルをリノベーションした小さなホテルに、彼女は住んでいた。外から見ると、建築家でなくても誰にだってデザインできそうな、どこにでもある商業用ビルと変わらない。しかしその内部は、タイの伝統的な木製家具で装飾されていた。木彫りの大きな長机がロビーにどんと置かれていて、光沢のあるシルクが敷かれ、その上にパンフレットやフリーペーパーが置いてあった。大きなソファーの隣にはコンピューターデスクがあって、ぼくがどれだけ遅い時間にそこに行っても、いつも誰かがインターネットをしていた。エントランスホールにつながる建物の正面には、鷹爪花（オウソウカ）が生い茂ってつるを伸ばし、屋根の構造を覆っていた。その下にステンレス製の椅子と机が用意されていて、宿泊客はそこで朝食を食べるのだった。屋上には、五人くらいが身体を伸ばして浸かるのにじゅうぶんな大きさの風呂があった。

そのホテルは、同性愛者の客をターゲットに営業していた。ぼくがその理由を訊いたことはなかったし、彼女も説明してくれたことはなかった。彼女が、このホテルの客室に定住しているただひとりの女性だろうとぼくは勝手に考えていた。そしてぼくは、彼女のプライベートルームに上がる権利をもったただひとりの男性だった。ふだん、彼女は他の場所で客をとっていた。

彼女の料金は、タイ人には高すぎた。彼女のような女性を、地元の人間向けの料金で探せるのは、レームカー・ビーチ、ナイヤーン・ビーチ、あるいはラーワイ・ビーチだった。だがぼくたちの関係では、寝るたびに料金を払っていたわけでもなかった。

ジェンダーでいえば、ぼくはクラスでただひとりの男性だった。最初のほうのレッスンは、自己紹介からはじまった。名前、年齢、職業、出身地——トーンもプーケットの人間だった。会話練習の例文のせいで、ぼくらは個人的なことを話しあうよう強制された。そのおかげで、ぼくとクラスメイトは急速に互いを知った。そんな会話のおかげで、この教室の生徒ほぼ全員が、何らかの形でドイツ人の恋人を手に入れるためにドイツ語を勉強していると知るのに、ほとんど時間はかからなかった。

トーンは他の生徒とは違った。彼女は、盲導犬を探すためにドイツに行く必要があった。世界最高の盲導犬訓練学校がドイツにあると、彼女が教えてくれた。盲導犬を探すのは、ペットを探すみたいに簡単ではない。訓練士が、将来の飼い主になる人間の体型や性格との適合を判断してマッチングをし、そこから互いの性格を知るために、さらに一ヶ月から二ヶ月の時間を使う。

そしてトーンは、彼女の母親についての話をはじめた。いまとなっては、それがぼくに妻がいるという話をする前のことだったのか、あとのことだったのか、はっきり覚えていない。

＊　＊　＊

ぼくの妻はプーケットの人間だ。トーンも。

トーンの部屋のベッドサイドテーブルに、写真が置いてある。母親と姉妹たちと撮った写真だ。トーンの母親の娘たち全員が、それぞれまったく異なるキャラクターなのを、奇妙に思わずにはいられなかった。

写真で見ただけで、彼女の母親が寛容な人間だということがわかる。

この写真を撮ったとき、お母さんはまだ目が見えてたの。ぼくはもう一枚の写真を彼女に見せながら尋ねた。古くなってしまったせいだろう、ここの写真たちは色あせてしまっていた。そしておそらくそのせいで、ぼくは彼女の母がアースカラーの洋服しか着ていないように感じてしまった。

トーンの母親は、水晶体（眼のレンズ）の疾患で失明した。トーンが言うには、元通りに治療する方法がない病のようだ。それが先天的なものでなかったせいで、見えなくなってからの生活は困難をきわめた。だからこそ、これまでにも何匹かの盲導犬で失敗してきたあとに、トーンが与える盲導犬が、ほんの小さな幸せになりうるのだろう。

わたしたちの国は盲導犬には向いてない。彼女が言った。一般の人々が犬を好きではないからではなく、むしろ一般の人々からの同情のせいだった。

ぼくは彼女の言うとおりにイメージしてみた。たくさんの人が、盲者を導く盲導犬を見てはさっと近づいて、犬と遊ぼうとする。かわいがるつもりで食べ物を口のところに差し出す。だがそのせいで、犬が規律を失い、最終的には良い盲導犬でなくなってしまうということを、その人々は知らない。最高の訓練を受けてきた盲導犬だけが、こういうできごとに対処できる。

ぼくの妻も、犬を愛しているタイプの人間だ。ぼくはトーンにそう言った。ぼくたちが犬を飼っているのかどうか、彼女が訊いてきた。妻は、バーンケーオ犬を飼いたがっていた。犬を飼ったときのために、シロ、という名前も準備していた。マンガの中のような名前だ。ただ、彼女が犬を飼わなかったのは、白いバーンケーオ犬を探すのが難しいからではない。

ぼくの妻は、クルーズ船のレセプションで働いていた。一年の休暇をまとめると、四ヶ月にもなる。しかしそれ以外は、出港のスケジュールに合わせてシンガポールに行き、そこで船に乗る。ぼくと妻が会う機会があるのは、一月(ひとつき)に三回、スタークルーズ号がパートーン・ビーチに停泊する七時間ずつだ。アジア各地からの乗組員たちも、その機会にプーケットで休息をとる。ぼくが車を運転して彼女を迎えに行くと、彼女はだいたいシンガポール人の同僚たちと一緒に降りてきている。それから、ぼくと妻はランチをともにして、午後を一緒に過ごす。それが、ぼくたちが犬を飼わない理由だった。

長い時間放っておくから、犬がぼくのほうを好きになってしまうのを怖がっているんだよ。ぼくはほほ笑んで言った。トーンには、それが冗談だとわかっていた。

もしかしたら、あなたの奥さんは好きなものを長く我慢しておけないのかも。トーンもぼくをからかっているだけということはわかっていたのだが、自分のことをかえりみて、ため息を抑えられなかった。

かつて、船に戻る妻を送る前に――おそらく彼女にいつもよりいいところを見せたくて――ロイド・ブラッスリーというレストランを予約しておいた。パートーン・ビーチ近くの、ブティックホテルに入った小さなレストラン。その日はシェフのキース・ロイドが、自ら客への挨拶に出てきていた。ぼくたちの家のキッチンには、彼の書いたレシピがあった。ロイドがぼくたちのテーブルにやってきて、妻は興奮していた。妻が、シンガポール人が英語を話すイントネーションで彼と話しているのを見て、彼女があの船で本当に長く働きすぎたのだと気がついてしまった。そしてそのとき、トーンが店に入ってきた。黒いドレスを着て、背が高く身体の大きな男性と並んでいた。彼女の客のひとりだろうとぼくは予想した。彼女はぼくたちのすぐ近くに座った。ぼくの妻が顔を偶然上げて、座ろうとするトーンと目を合わせた。二人は一瞬、ほほ笑みを交わした。彼女たち二人は互いを知らない。だがトーンには、これがぼくの妻だとわかった。ぼくはその食事のあいだじゅう、妻の顔を見ては、身体をこっそりとひねってトーンのほうを見ていた。三人で同じ食卓についているみたいだった。そこで静かに座っているとき、ぼくはまだ起きていない未来のできごとを想像した。ぼくたち三人で、楽しげに話す。盲導犬の話だ。

妻を船に送ったあと、その晩はトーンのホテルで過ごした。

*　　　*　　　*

説明はできないが、あのときにドイツ語を学んだことが、ソフトウェアの問題を解決する助けになってくれたようだった。困難な時期を過ぎてしまえば、そのあとはテストとちょっとした調整が残るばかりだ。ぼくはできるだけ本物に近いものになるようにデザインしたかった。ぼくが作っていたのは、ポラロイドカメラを模したプログラムだった――デジタルカメラから必要な写真を選んで、スクリーン上のカメラアイコンの上にドラッグする。数秒で、その写真が、ポラロイドカメラで撮影した写真のように加工される。ぼくがカメラに真剣な興味をもつようになったのがいつのことかはっきりとは言えない。ぼくがこのプログラムに着手したときにはじまったのかもしれないし、その逆で、写真撮影というプロセスへの夢中が、ぼくにプログラムを書かせたのかもしれなかった。

とにかく、ぼくのソフトウェアは、一〇月の頭に完成した。まだ少しながら観光客が居残っている時期だった。その晩、ぼくは自分にご褒美(ほうび)をあげるつもりでトーンのところを訪ねた。しかし彼女は他の客との仕事に出ていて、朝までその客と一緒にいるようだった。スウェーデン、ドイツ、あるいはオーストラリア。この時期にここに残っているのは、どこの国の観光客だろう。ぼくは見当をつけようとした。

ぼくは車に乗って、夜のプーケットでもっとも盛り上がっているビーチの前を戻っていった。だが、気づいたときには、いつもは街に戻るためにビーチの端で右に曲がるところを、カリム・ビーチまでまっすぐ行こうと決めていた。そしてアスファルトの敷かれた駐車場に車を停めた。

夜が黒色で大海を抱いて、水平線が見えなくなっていた。奇妙に美しい。ぼくは車の中にあったカメラを持ち出した――ポラロイドSX－70。アルファベットのあとに続く数字が、それ自身の歴史を語っているみたいだ。このカメラは、七〇年代のあいだずっと、大きな人気を得ていた。ポラロイドカメラは、あの時代のデジタルカメラみたいなものだと言ってよかった——アマチュアっぽく見えて、撮ったら現像を待たずにすぐ写真が手に入る——最初のモデルが発売されたのは一九七二年で、そのときは、他のカメラのようにファインダーを覗いてフォーカスを調整するためのプリズムが備わっていなかった。ポラロイド社の創業者エドウィン・ハーバート・ランドは、ファインダーを覗くことよりも、被写体に興味をもってほしかったのだ。ぼくの車の後部座席には、譲り受けたフィルムがまだたくさん残っていた。

長く湾曲するパートーン・ビーチをファインダーごしに見て、ぼくはシャッターを切った。カメラがカシャアと長い音を立ててから、少しずつフィルムを吐き出す。すぐに写真が見えてくる……魔法のような時代は、もう過ぎてしまった。

ぼくは立ったまま静かに煙草(たばこ)を吸っていた。二本目の煙草が無くなったところで、車に戻ろうとした。そのときに、向こう側の道路に小さなバーが見えた。覗きこむと、たくさんの写真が店内の壁に吊られている。あまりにたくさんで、インテリアとして飾られているのではなさそうだった。そしてそれが、ぼくを店内に惹きつけた。バーカウンターの向こうに立つ若い男性オーナーが、挨拶をしてきた。そのとき、ぼく以外に他の客はいなかった。

ぼくはバーカウンターのところに座って飲み物を頼んだ。周りを見回す。ぼくをとらえた壁いっぱいの白黒写真は、写真の撮影年に合わせて規則的に並べられていた。一九六三年からはじまっている。その列にはスコピエ大地震の写真と、もう一枚、バンコクで開催されたポーン・キングピッチとファイティング原田の世界タイトルマッチの写真がかけてある。その次には一九六四年の写真……

ぼくは立ち止まっていた。視線が、それぞれの写真のところで、長い時間とどまっていた。そして、最後の写真は一九九〇年で終わっていた。

そこの写真を撮っていたのがぼくの父で、父はその年に死んでるんです。バーのオーナーの若い男性がそう言いながら、冷えたビールの入ったグラスをぼくに差し出した。

ベニオです。彼は自己紹介した。この店をオープンしてから、ここの写真をあんなにずっと見つめていたのはあなたがはじめてです。全部に、それぞれの歴史があって、ぼくたちがそれをどういう形で覚えていくかによってまた変わる。聞きたいですか？　ぼくはゆっくりうなずいた。それから、何本ものビール瓶が、写真の裏にある物語とともに空けられていった。

ベニオの顔はトマトのように赤くなっていた。彼は笑って、自分の鼻のところを指さした。知ってますか、ベニ、は赤って意味なんです。

彼の父が、ベニオという名前をつけた。彼の父は日本で著名な写真家だった。ベニオの母はプーケットの人間だった。ふたりが結婚したあと、彼の父はプーケットに移住した。

「あなたの名前は、どういう意味なんですか」。彼のほうもぼくに尋ねた。純粋さに関係するんじゃないかと思います。ぼくはあまりはっきりしないまま答えた。これまで、自分の名前の意味を考えたことがなかった。

「シロだ」。突然、彼が言った。

「なんて?」ぼくはいぶかしがって眉をひそめた。彼が答える。日本語で白って意味です。あなたの名前はシロがいい。

犬の名前みたいだ。ぼくがそう言って、ふたりが笑った。

それからベニオはバーカウンターの後ろに消えて、ガサガサとなにかを漁っていた。そして、一台のカメラを持って戻ってきた。彼はそれをぼくに差し出した。カメラの上部に、黒い文字が刻まれている——オリンパスPEN-F。

「このカメラ、いまは、すごく安いと言っていい。だけど、こいつの年齢は、ぼくよりもあなたよりも長いんですよ」。彼は言った。「これは、父のカメラのひとつなんです。ほとんど信じられないような話だけど、中にフィルムがまだ入ってる。たぶん、一五年前に父が撮った写真でしょう。父が死んでから誰もこれに触れてこなかったんですが」

「あなたはすごくラッキーですよ。ぼくがこの店を開けるのは今日で最後で、あなたがぼくの最後の客だ。もうしばらくしたら、ぼくはタイからいなくなります。このカメラを、あなたに進呈させてください。受けとってください」。彼は真剣そうに言った。

一一月。例年通り、パートーン・ビーチで観光開きを祝うイベントが催された。屋外のステージにバンドが次々と上がっていて、海岸線に沿ってずっと、料理を売るテントが並んでいる。

ぼくの妻はまだ船の上で働いていた。九階にあるカジノルームで乗客の相手をしていた。アンダマン海ルートから南シナ海ルートに航路が変更されたので、船は香港に停泊することになった。妻はぼくがカメラに興味をもちはじめたことに気づいて、香港で古いカメラを手に入れて土産にしてくれた。カメラのいくつかはあまりに古く、フィルムを見つけられなかった。ぼくはそれらのカメラをためつすがめつして、長く使われてきたあいだ――ベニオがくれたカメラと同じように――これらのカメラがどんな写真を記録してきたのか、考えていた。

カメラで写真を撮影するときには、レンズで光を集め、それをフィルムの上に落としこむ。現在使われているタイプのカメラのレンズは、フランス人眼鏡職人のシュヴァリエによって発明された。このシュヴァリエの職業が、カメラのレンズと人間の水晶体との深い関連を示している。しかし、それからさらに一七年さかのぼってみると、はじめてのカメラレンズを発明したイギリス人医師ウォレストンがいなければ、シュヴァリエのレンズも生まれなかったはずだ。そしてそれとは別の部分で、ぼくはトーンの母のことを思った。一七九年前の時点で、医師であるウォレストンはレンズのことをよく知っていた。しかし現在でも、数多くの医師が水晶体に起きるいくつかの病を治療できずにいる。

きみのお母さんがその病気になってから、長いの。ぼくはトーンにそう訊いたことがある。わたしが大きくなってから、ひどくなってきた気がする。その頃、わたしはしばらく母と離れてた。新しいことに大慌てになるばっかりで、気づいたときには母の目は見えなくなってた。「遺伝するものなのかな」。ぼくは気になった。「どうして。わたしの目が見えなくなるのが怖いの」。

彼女が返した。

ぼくは長いあいだ黙っていた。それから彼女に尋ねかえした。「じゃあもしぼくの目が見えなくなったら？」

「もしあなたの目が本当に見えなくなったら、バーンケーオ犬を買ってあげるね」。彼女が冗談めかして言った。

「バーンケーオ犬の盲導犬なんて、見たことないぞ」。ぼくが反論した。

盲導犬にするなんて誰も言ってない。あなたの奥さんのお友達になってもらうために飼うの。トーンはいつもぼくに容赦ない。

カメラに触れるたびに、ぼくがそれとなく怖くなるのは、失明することだった。そういう関係性が、気づかないうちにできあがっていた。目を閉じてみる。暗闇だけが見える。けれどもその闇は、完全に黒い闇というわけではない。白い光がそこらじゅうに混じっているようだ。だからこそぼくは、失明した人間の瞳の中には、黒しか存在しないのではと感じるのだ。真っ黒で、広大な闇。

＊　＊　＊

一一月の終わりから数えると、ぼくの妻が船で働くのは残りわずか二ヶ月だ。契約が切れたあとは、彼女の職歴からして、プーケットで常勤の仕事を簡単に見つけられるだろう。

ソフトウェアの開発が終わってから次の制作に移るまで、ぼくにはとても長い時間が残されていた。

　昼の暇な時間には、ぼくはキース・ロイドのレシピを開いた。メニューを順番に眺めて、難しくなく、市場で材料をすぐ探せるメニューを選んだ。ぼくはそれらのレシピどおりに料理する練習をくりかえしていた。その結果はあまりにひどかった。妻の好きなロイドの味からはかけ離れていた。しかし残されたこの二ヶ月で、食べられる味、という言葉に近づく程度には作れるようになるだろう。

　夜には、ぼくはいまだにトーンのところを訪ねて、朝まで彼女と過ごしていた。

　昼の時間を、妻を迎える準備に捧げていたとすれば、夜の時間はそれとは異なる別のものになっていた。この関係性に、終わりは見えなかった。

　一二月が訪れて、プーケットは本当の楽園になる。観光客が女神と天使のもとに戻ってくる。

　ぼくの料理は、少しだけ難しいメニューに進んでいた。ぼくにとって、料理と語学は同じくらい楽しいものだった。はじめは楽しいが、そこで得られる結果にはうんざりする。いい結果を出すまでに、たくさんの気力と努力が必要になる。

　年の最後の月に、嵐が来たことはない。波風が完全に静まる。グラフ上で、観光客の数が最高点に到達する。市場に並ぶたくさんの魚の種類も同じことだ。こんな季節には、揚げたバラマンディにレモングラスのソースを合わせたものがぴったりのメニューになる。プーケットの人々はこの料理をプラー・チアン・タクライ（揚げ魚のレモングラス和え）と呼んでいて、古くからある料理なのだと、妻がかつて言っていた。

ロイドが魚の揚げ方の秘訣についておもしろいことを書いていたが、むしろ、あまりに難しいのはソース作りだ。たった六種類の材料しか使わないのに――タマリンドペースト、レモングラス、赤玉ねぎ、ヤシ砂糖、ナムプラー、乾燥唐辛子。それぞれの材料のまったく異なる味をソースに適切に表すのは、コンピューターのプログラムを書くよりも何倍も難しい。

きみのお母さんは、揚げ魚にかけるレモングラスのソースは作れる? ある晩、ぼくは唐突にトーンに訊いた。セックスを終えてからすぐのことで、ぼくたちはベッドの上で抱きあったままだった。けれどもそのときトーンは眠っていたようで、ぼくの質問は聞こえていなかった。トーンがそういうタイプの料理をするとは思えなかった。以前作ったことがあっても、忘れてしまっているかもしれない。だが、トーンのお母さんなら確実に作れるはずだ。いつか、彼女の母から秘訣を聞こう。

新年が近づいてきて、あらゆる場所が祝宴のムードに包まれていた。イルミネーションと、文字の書かれた垂れ幕がちらちらと彩っていた――メリークリスマス、そして、明けましておめでとう、二〇〇五年。

こんな時期、トーンはほとんど毎晩のように仕事があった。一緒に眠らない夜には、ぼくはいつものようにカリム・ビーチにいた。もうベニオのバーはなかった。ビーチにコンクリートの打ってあるあたりは、深夜の公園に姿を変えていた。眠れない人々、夜のシフトが終わったあとに行くあてのない従業員たち、ダンスミュージックが静かになってもまだホテルに戻りたくない観光客たちが集まって。

クリスマスの夜、ぼくの妻は海の真ん中でクルーズ船に乗って働いていた。トーンは客と約束があった。そしてぼくはカリム・ビーチにひとり立って、ビールを飲みながらクリスマスを祝っていた。一二時に、たくさんの花火が打ち上げられて、空中で破裂した。一瞬だけピカッと光って、それから消えていく。こんな時間は、魅力的で美しく、あまりに悲しい。

Wir planen jetzt eine reise
わたしたちは旅行の計画を立てているところです。
Wohin gehen sie
どこに行くのですか？
Wir beabsichtigen in…

トーンのホテルのロビーの長机に、レプリカのクリスマスツリーが置かれていた。

階段を上がってトーンの部屋に向かう途中で、突然、ぼくはこの例文を思い出した。いまとなっては、どこに行きたいとぼくが答えたのか、もう覚えていない。

トーンのホテルに近いギャラリーの中には、少女の裸像が正面に飾られている。パブロ・ピカソの油絵を模写したものだ。その作品は「花かごを持つ少女」という。この花かごを持った少女は、自分の肩ごしに、観るもののほうに視線を投げかけている——ぼくはこの絵を買って、トーンへのクリスマスプレゼントにすることに決めた。

この複製画を売るギャラリーのオーナーは、ピカソの作品を特に気に入っているようだった。ぼくは白い壁に掛けられた絵画のタイトルを目で追っていった——「ガートルード・スタインの肖像」、「アヴィニョンの娘たち」、「パイプを持つ少年」。そしてピカソの生涯における、さまざまな時代の数多くの絵画たち。壁の一画には、若いときのピカソの写真が飾ってある。フレームの下には、黒地に白のキャプションがついていた。ピカソの言葉から引用したものだ。

「ぼくには愛人しかいない。もしその相手がぼくと寝ることができないなら、誰かと友人として付き合うことはできない。女性にそれを要求するわけでも、男性に求めるわけでもないが、少なくとも、誰かとの性的な経験から得られる、温かくて親密な感情が存在するべきなのだ」

ぼくはその文章をゆっくりと読んでいった。ギャラリーのプレーヤーから流れていた七〇年代の楽曲、ザ・モダン・ラヴァーズの「パブロ・ピカソ」が終わったとき、ギャラリーの白く輝く光のただ中に、花火の音がもう一度短く鳴り響いた。そのとき、ぼくはその場所からあふれ出る奇妙な空気を感じた。クリスマス・イヴからまもなくクリスマスの夜になる。だがトーンはおそらくまだ客をとっている。夕食の約束をしていて、きっとそのあとも、これまでどおり客と長い時間を過ごすのだろう。動揺の気持ちとともに、ぼくはその誰かの孤独の体積を感じることができた。こんなときに、トーンと一緒にいることを彼が選んでいたのだとしたら。

ぼくがドアを開けて部屋に入ると、トーンはすでに到着していた。屋上でパーティがあるの。ビールも酒もワインも揃ってる。だけど今夜は、全員裸で参加しなきゃいけない条件つき。上がって混ざってみる？　彼女が言った。ぼくは彼女に、いまじゃない、いまは裸のきみを見ていたい、と言いながら、彼女の服を脱がせていった。絵画の少女の視線と同じように、トーンの漆黒の瞳は心を騒がせる。彼女の丸い瞳には挑戦的な強い感情がこめられていたが、そこにはわずかな侮蔑の痕跡も残されていなかった。

一二月二六日の朝だった。その日、ぼくはトーンの母が失明していないことを知った。

ぼくたちがベッドで寝ているとき、八時に目覚まし時計が鳴った。柔らかな光がカーテンから漏れて、ぼくたちふたりの裸の身体に影をつくる。ぼくたちは服の山の中で、どうしようもなくだらだらと眠り続けていた。ぼくはふたたび高まりはじめる欲求を感じ、ぼく自身のやりかたで彼女を起こそうとした。

吹いた風がカーテンを揺らし、ぼくは大きく開けられた窓のほうを見た。外の陽射しは強く、空はとても澄んでいた。そしてそのとき、一〇時――彼女の母がドアを開けて入ってきた。彼女の母がとても近くまでやって来たときに、ぼくは気がついた。その顔は、写真でよく覚えていた。しかし、ぼくたちを見つめる視線は、まるで別人のようで、ぼくたちには理解できず、説明もできないものに変わってしまっていた。彼女は失明していなかった――その視線は、鬼神のようだったと言っていい。彼女はトーンの裸の身体に近づいた。ぼくは、そこから視線をそらすことができなかった。ぼくの感情や思考のすべてがそこに引きつけられて、最後に彼女の水晶体に集まったようだった。どんなカメラのレンズよりも、世界の光のすべてをしっかりと集めることができるレンズ。

終わりのないくらいに長く、彼女はトーンの身体を見つめていた。そしてただ彼女が見つめるだけで、あらゆるものが即座に崩れ落ちていくようだった。

理由もなく、ぼくはベニオのカメラを思い出した。一五年前に撮影したフィルムは、まだ無事だろうか。

นก ปักษนาวิน

ノック・パックサナーウィン（一九七八～）

二〇〇四年一二月二六日の朝、インドネシアのスマトラ島沖で、マグニチュード九・一の地震が発生しました。この地震が生んだ津波が、インドネシアだけでなく、インド、スリランカ、タイなど多くの国を襲います。死者・行方不明者は二〇万人を超え、クリスマス休暇を過ごしていた多くの外国人観光客も巻きこまれました。

「トーン」は、プーケットの作家グループが二〇〇八年に発行した、プーケット大津波を偲ぶ短編アンソロジー『死の自然』に掲載されました。津波で甚大な被害を受けた、タイ南部のリゾート地プーケット島を舞台にした作品です。島に住む男性プログラマーと、現地で観光客向けに春をひさぐ娼婦の関係が、島を津波が襲ったその朝（午前一〇時ごろ）まで描かれていきます。

作者のノック・パックサナーウィンは小説以外にいくつかの映像作品も発表しており、国内外の映画祭に出品しています。プーケットの旧市街に立つ、カフェとギャラリーを併設した書店「ナン（スー）2521」と、市内から少し離れた自宅を改装したバー「The Remedy」のオーナーでもありますます。ずいぶんとスタイリッシュな作家に見えますが、これは彼の活動の一部に過ぎません。

ノック・パックサナーウィンがオーナーを務める書店「ナン（スー）2521」内装のイラストレーション

タイでは、ペンネームのノック・パックサナーウィンよりも、本名の「マールット・レックペット」や、あだ名の「ニン医師」のほうが、よく知られています。

彼の本業は、南部パンガー県ヤーオ・ヤイ島で働く医師です。家庭医療・地域医療を専門とする医師として、島民との協働によって地域の生活に根付いた病院をデザインし、そこで勤務しています。

患者本人だけでなく、家族がともに時間を過ごすためのスペースやキッチン、料理用のハーブ園まで用意され、ほとんどがムスリムである島民のための礼拝室も整った、病床数わずか五のこの診療所は、「タイで一番小さな病院」として有名です。さらに、島民の子どもたちのために健康リテラシー教室を開くなど、患者の病状だけでなく、家族やその環境、その社会の状況まで考慮にいれたケアが特徴的です。

人間の生を、その全体や、それらを構成するさまざまな「つながり」から見る思想は、その作品にも表れています。

「トーン」を含め、『死の自然』に掲載された作品からは、災害への恐怖や、命が失われたことの悲しみというものが、あまり見えてきません。もちろん恐ろしいし、悲しいのですが、どちらかといえば、たくさんの要素が絡みあって起きたその喪失を、人生の大きなサイクルにおけるひとつの出来事としてどう受け入れるのか、そこに主眼が置かれているような気がします。

落ち着いた語り口とどこか他人事のような距離感、しかし冷たいわけでもなく、その視線には優しさすら感じられるのではないでしょうか。

（福冨）

【浮気】

「不貞」、「不倫」、「姦通」、言い方はさまざまにありますが、「浮気」はたくさんの文学作品において、そのテーマとして用いられてきました。理由のひとつは「浮気」という行為や関係、言いかえれば「特定のパートナーとは違う相手と関係をもつこと」が、わたしたちが当然のものだと信じこんでいる「常識」や「道徳」や「規範」に疑問を投げかけたり、それを揺るがしたりすることにつながるからです。そんな「非常識」で「不道徳」な行為におよんでしまう人たちの心中や背景にはいったいなにがあったのか？　彼・彼女たちをそこまでの行為に駆り立ててしまったものはいったいなんなのか？　そういった心中や背景を描写してくれるのが小説という表現であり、それゆえにフローベール『ボヴァリー夫人』、ツルゲーネフ『はつ恋』、夏目漱石『それから』など、数多くの作品が浮気や不倫をテーマとしてきたのかもしれません。

「地震」、「津波」、「ドイツ語」、「カメラ」、そして「浮気」。たくさんの話題が散りばめられて、どれにも答えが与えられない本作において、「浮気」によってつながる主人公とトーン、そして妻との関係は特に謎めいています。主人公と妻の離別は、トーンとの浮気によるものなのか？　なぜ、トーンは嘘をついたのか？　母の失明が嘘なら、どうしてトーンはドイツ語を学んだのか？「常識」や「道徳」の下では生まれえなかった関係が、タイ南部の島を実際に襲った悲劇の中に、別の物語を生み出しています。

（福冨）

【カメラ】

誰しも写真を撮る世の中、スマートフォンのカメラをふくめれば、カメラなしの生活はなかなか考えられません。本作の作家と同年代かそれ以上の読者なら、主人公のように、使わなくなったカメラが家の片隅で眠っているのではないでしょうか。

写真が在りし日の思い出と結びついているのは誰でも経験的に知っています。旅行のとき、誕生日のときなど自分にとって大切だと思った瞬間がシャッターボタンひとつでイメージとして記録されます。そのイメージを見て、かつてを思い出すというのは日常的な行為ですが、本作における想起のきっかけは、オリンパスPEN－Fという具体的な製品です。

オリンパス PEN-F
photograph by Ashley Pomeroy

主人公はオリンパスPEN－Fをひょんなことからバーの若いオーナーから譲り受けます。オーナーの父が「日本で著名な写真家」で、このカメラはその忘れ形見であり、なかには一五年前のフィルムが入っていると言います。途中ポラロイドSX－70でプーケットのビーチを撮影する話なども挿入され、オリンパスPEN－Fに残されたこの一本のフィルムの中身がいよいよ気になります。

それだけではありません。本作は人間の目の水晶体をカメラのレンズにたとえます。この点に着目すると登場人物たちの視線や目の描写に途端に関心が向きます。目が見つめる先とは？　目が見えなくなるとは？　作中に散りばめられた、カメラから触発される多様なテーマを考えてみるのも興味深いでしょう。

（中村隆）

◉編者紹介

奥　彩子（おく・あやこ）
共立女子大学教授。専門はユーゴスラヴィア文学。著書に『境界の作家ダニロ・キシュ』（松籟社、二〇一〇年）、『東欧の想像力』（共編著、松籟社、二〇一六年）、『世界文学アンソロジー』（共編著、三省堂、二〇一九年）ほか。訳書にダニロ・キシュ『砂時計』（松籟社、二〇〇七年）、デイヴィッド・ダムロッシュ『世界文学とは何か』（共訳、国書刊行会、二〇一一年）。

鵜戸　聡（うど・さとし）
鹿児島大学准教授。専門はフランス語圏アラブ＝ベルベル文学。共著書に『クリティカル・ワード　文学理論』（フィルムアート社、二〇二〇年）、『地中海を旅する62章』（明石書店、二〇一九年）、『国民国家と文学』（作品社、二〇一九年）ほか。訳書にカメル・ダーウド『もうひとつの「異邦人」』（水声社、二〇一九年）。

中村　隆之（なかむら・たかゆき）
早稲田大学准教授。専門はカリブ海文学、環大西洋文化論。著書に『カリブ‐世界論』（人文書院、二〇一三年）、『エドゥアール・グリッサン』（岩波書店、二〇一六年）、『野蛮の言説』（春陽堂書店、二〇二〇年）。訳書にエドゥアール・グリッサン『フォークナー、ミシシッピ』（インスクリプト、二〇一二年）、同『痕跡』（水声社、二〇一六年）ほか。

福嶋　伸洋（ふくしま・のぶひろ）
共立女子大学准教授。専門はブラジル文学。著書に『魔法使いの国の掟――リオデジャネイロの詩と時』（慶應義塾大学出版会、二〇一一年）、『リオデジャネイロに降る雪――祭りと郷愁をめぐる断想』（岩波書店、二〇一六年）。訳書にマリオ・ヂ・アンドラーヂ『マクナイーマ――つかみどころのない英雄』（松籟社、二〇一三年）、ヴィニシウス・ヂ・モライス『オルフェウ・ダ・コンセイサォン』（松籟社、二〇一六年）。

◉訳者・執筆者紹介（五十音順）

浦野　郁（うらの・かおる）
共立女子大学准教授。専門はイギリス文学・文化。著書に『よくわかるイギリス文学史』（共編著、ミネルヴァ書房、近刊）、『二〇世紀「英国」小説の展開』（共著、松柏社、近刊）。共訳書にピーター・バリー『文学理論講義――新しいスタンダード』（ミネルヴァ書房、二〇一四年）。

金子　奈美（かねこ・なみ）
慶應義塾大学総合政策学部非常勤講師。専門はバスク文学、翻訳研究。訳書にキルメン・ウリベ『ビルバオ-ニューヨーク-ビルバオ』（白水社、二〇一二年）、同『ムシェ　小さな英雄の物語』（白水社、二〇一五年。第二回日本翻訳大賞、第二回エチェパレ＝ラボラル・クチャ翻訳賞）。

小久保　真理江（こくぼ・まりえ）
東京外国語大学特任講師。専門はイタリア近現代文学・文化芸術論。共著書に『イタリア文化55のキーワード』（ミネルヴァ書房、二〇一五年）。共訳書にウンベルト・エーコ『ウンベルト・エーコの小説講座――若き作家の告白』（筑摩書房、二〇一七年）、同『ウンベルト・エーコの世界文明講義』（河出書房新社、二〇一八年）。

小林　久子（こばやし・ひさこ）
共立女子大学非常勤講師。専門はアルバニア文学、ロシア文学。共著書に『東欧地域研究の現在』（山川出版社、二〇一二年）、『ロシア文学　名作と主人公』（自由国民社、二〇〇九年）。

三枝　大修（さいぐさ・ひろのぶ）
成城大学経済学部准教授。専門は近代フランス文学。共著書に『モダニズムを俯瞰する』（中央大学出版部、二〇一八年）、『フランス文学を旅する60章』（明石書店、二〇一八年）。共訳書にミシェル・レリス『オペラティック』

（水声社、二〇一四年）、ジュール・ヴェルヌ『蒸気で動く家』（インスクリプト、二〇一七年）など。

中丸　禎子（なかまる・ていこ）
東京理科大学准教授。専門は北欧文学・ドイツ文学。共編著に『アイスランド・グリーンランド・北極を知るための65章』（明石書店、二〇一六年）、『高畑勲をよむ　文学とアニメーションの過去・現在・未来』（三弥井書店、二〇二〇年）。訳書にクリスタ・ヴォルフ「故障――ある日について、いくつかの報告」秋草俊一郎ほか編『世界文学アンソロジー』（三省堂、二〇一九年）。

中村　菜穂（なかむら・なほ）
大東文化大学非常勤講師。専門はペルシア文学、イラン現代詩。共著書に『イランとイスラム――文化と伝統を知る』（春風社、二〇一〇年）、共訳書に『新・世界現代詩文庫8　現代イラン詩集』（土曜美術社出版販売、二〇〇九年）、ジャーレ『古鏡の沈黙――立憲革命期のあるムスリム女性の叫び』（未知谷、二〇一二年）など。

福冨　渉（ふくとみ・しょう）
鹿児島大学特任講師。専門はタイ文学。著書に『タイ現代文学覚書：「個人」と「政治」のはざまの作家たち』（風響社、二〇一七年）、『タイを知るための72章』（共著、明石書店、二〇一四年）。訳書にウティット・ヘーマムーン『プラータナー：憑依のポートレート』（河出書房新社、二〇一九年）、プラープダー・ユン『新しい目の旅立ち』（ゲンロン、二〇二〇年）。

古川　哲（ふるかわ・あきら）
東京外国語大学ほか非常勤講師。専門は二〇世紀ロシア文学。論文に「プラトーノフ『土台穴』における動物と人間のあいだ」、『総合文化研究』、東京外国語大学総合文化研究所、第一四―一五合併号、二〇一二年。共訳書にソロモン・ヴォルコフ『ショスタコーヴィチとスターリン』（慶應義塾大学出版会、二〇一八年）。

細田　和江（ほそだ・かずえ）
東京外国語大学アジア・アフリカ言語文化研究所特任助教。専門はイスラエル／パレスチナ地域研究・イスラエル文学。共著書に『現代中東文学リブレット』（現代中東文学研究会編、二〇一九年）、『文化を食べる、文化を飲む』（ドメス出版、二〇一七年）。訳書にサイイド・カシューア「ヘルツル真夜中に消える」秋草俊一郎ほか編『世界文学アンソロジー』（三省堂、二〇一九年）。

柳谷　あゆみ（やなぎや・あゆみ）
公益財団法人東洋文庫研究所共同研究員、上智大学アジア文化研究所共同研究員。専門は中世アラブ・イスラーム政治史。著書に『ダマスカスへ行く　前・後・途中』（六花書林、二〇一二年）、『イスラームを学ぶ：史資料と検索法』（共著、山川出版社、二〇一三年）。訳書にザカリーヤー・ターミル『酸っぱいブドウ／はりねずみ』（白水社、二〇一八年）、サマル・ヤズベク『無の国の門』（白水社、二〇二〇年）。

山辺　弦（やまべ・げん）
東京経済大学准教授。専門は、キューバを中心とする、現代スペイン語圏のラテンアメリカ文学。共著書に『抵抗と亡命のスペイン語作家たち』（洛北出版、二〇一三年）。訳書にエミリー・アプター『翻訳地帯──新しい人文学の批評パラダイムにむけて』（共訳、慶應義塾大学出版会、二〇一八年）、ギジェルモ・カブレラ・インファンテ『気まぐれニンフ』（水声社、二〇一九年）。

由尾　瞳（よしお・ひとみ）
早稲田大学准教授。専門は日本近現代文学・ジェンダー研究。共著書に『3・11以後の文学批評──世界的視野をもとめて』（明石書店、近刊）。論文に「Performing the Woman Writer: Literature, Media, and Gender Politics in Tamura Toshiko's *Akirame* and "Onna sakusha"」『Japanese Language and Literature』二〇一四年など。川上未映子作品の英訳を『The Penguin Book of Japanese Short Stories』『Granta』『Freeman's』『Monkey Business』などに発表。

本書にはJSPS科研費15H03200の助成を受けた研究が反映されています。

世界の文学、文学の世界

2020年3月31日　初版第1刷発行　　定価はカバーに表示しています

編　者　奥彩子・鵜戸聡・
中村隆之・福嶋伸洋

発行者　相坂　一

発行所　松籟社（しょうらいしゃ）
〒612-0801　京都市伏見区深草正覚町1-34
電話　075-531-2878　振替　01040-3-13030
url　http://www.shoraisha.com/

印刷・製本　モリモト印刷株式会社
装幀　安藤紫野（こゆるぎデザイン）

Printed in Japan

 ISBN978-4-87984-387-6　C0097